PRAGUE
EN QUELQUES JOURS

**MARC DI DUCA,
MARK BAKER, BARBARA WOOLSEY**

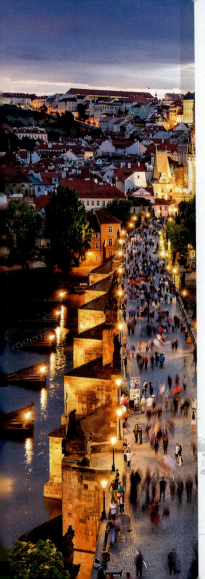

Sommaire

Préparer
son séjour 4

Bienvenue à Prague............4

Les incontournables 6

Se restaurer 10

Prendre un verre...............12

Shopping...........................14

Art......................................16

Musées 17

Avec des enfants 18

Prague gratuit..................19

Architecture.....................20

Histoire 21

Prague en 4 jours............ 22

Les basiques.................... 24

Plan des quartiers
de Prague 26

Pont Charles (p. 80)
PYTY/SHUTTERSTOCK ©

Explorer Prague 29

Château de Prague et Hradčany 31

Malá Strana et colline de Petřín 47

Musée juif de Prague et Josefov 63

Place de la Vieille Ville et Staré Město 77

Place Venceslas et ses environs 97

Nové Město 111

Vinohrady et Žižkov 123

Holešovice 135

Coups de projecteur

Château de Prague 32

Cathédrale Saint-Guy 38

Colline de Petřín 48

Musée juif de Prague 64

Vieux Cimetière juif 66

Place de la Vieille Ville et horloge astronomique .. 78

Pont Charles 80

Palais Veletržní 136

Carnet pratique 145

Avant de partir 146

Arriver à Prague 147

Comment circuler 148

Infos pratiques 149

Langue 153

Index 156

AVERTISSEMENT

Au moment où nous terminions l'édition de ce guide, la pandémie de Covid-19 impactait fortement le monde du voyage. Les informations que vous trouverez dans cet ouvrage sont donc susceptibles de changements.

Renseignez-vous bien avant votre départ car la situation aura probablement évolué quand vous préparerez votre voyage.

Bienvenue à Prague

Il y a trente ans, la "révolution de Velours" levait le voile sur ce dédale envoûtant de ruelles pavées. Aujourd'hui, la ville aux cent clochers charme les visiteurs avec sa spectaculaire architecture gothique, ses cafés richement décorés, sa scène artistique avant-gardiste et, bien entendu, le majestueux château de Prague, qui domine la capitale tchèque de sa haute silhouette tout droit sortie d'un conte de fées.

Église Saint-Nicolas (p. 53)
MILAN GONDA/SHUTTERSTOCK ©

Les incontournables

Château de Prague

Mille ans d'histoire imprègnent les murs et les cours de ce site emblématique de la capitale tchèque. **p. 32**

Cathédrale Saint-Guy

Joyau du château de Prague dont les flèches gothiques tutoient le ciel. **p. 38**

Place de la Vieille Ville et horloge astronomique

La place historique et son horloge astronomique. **p. 78**

Pont Charles

Pont de pierre médiéval qui enjambe la Vltava. **p. 80**

Vieux Cimetière juif

Petit cimetière et ses 12 000 stèles à l'enchevêtrement poétique.
p. 66

Musée juif de Prague

Un témoignage du riche héritage juif de Prague. **p. 64**

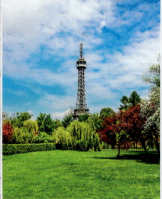

Colline de Petřín

Butte verdoyante du centre-ville culminant à 318 m. **p. 48**

Place Venceslas
Vaste place commerçante au cœur de la ville. **p. 98**

Palais Veletržní
Superbe musée d'art moderne et contemporain. **p. 136**

Loreta (Notre-Dame-de-Lorette)
Haut lieu de pèlerinage baroque. **p. 40**

Se restaurer

Le paysage culinaire de Prague s'améliore d'année en année. Le nombre de restaurants végétariens et végans a explosé récemment, mais la viande occupe toujours le devant de la scène, à la fois dans les établissements tchèques traditionnels et branchés.

Cuisine tchèque

À Prague, la cuisine tchèque est de qualité inégale. Les plats traditionnels comme *pečené vepřové koleno s knedlíky a kyselé zelí* (porc rôti avec choucroute et quenelles), ou le *svíčková na smetaně* (tranches de rôti de bœuf mariné à la crème aigre), sont parfois insipides (souvent dans les restaurants touristiques) – choisissez bien vos adresses. Parmi les autres spécialités tchèques, figurent le jarret de porc (*vepřové koleno*), le canard (*kachna*) et le goulasch (*guláš* ; en photo), préparé avec du bœuf ou du porc et accompagné de quenelles de pain.

Cuisine internationale

Comme dans toutes les grandes villes, les tendances culinaires vont et viennent. Les Tchèques sont de fins gastronomes, et apprécient aussi bien les cuisines française, italienne, indiennes, asiatiques et mexicaine. On trouve aussi des viandes grillées et des burgers.

Options végétariennes

Depuis une dizaine d'années, suivant l'engouement actuel des pays occidentaux, les établissements végétariens et végans se sont multipliés dans la capitale. Malheureusement, les options végétariennes restent très limitées dans les restaurants tchèques traditionnels, le meilleur choix étant généralement le sempiternel (mais souvent excellent) fromage frit (*smažený sýr*), accompagné de canneberges et/ou de sauce tartare.

STEPANEK PHOTOGRAPHY/SHUTTERSTOCK©

Gastronomiques

Field Un restaurant étoilé au Michelin, dans la Vieille Ville. (p. 72)

Augustine Ambiance à la fois raffinée et décontractée et bière de la maison. (p. 56)

Cuisine tchèque traditionnelle

U Modré Kachničky Dans ce beau restaurant classique de Malá Strana, la spécialité est le canard sous toutes ses formes. (p. 57)

The Eatery Ce restaurant sophistiqué de Holešovice modernise les classiques tchèques. (p. 140)

Vinohradský Parlament Un pub tchèque version XXIe siècle. (p. 130)

Les meilleures tables pour les végétariens

Vegan's Prague Une cuisine 100% végétarienne dans l'axe touristique principal de Malá Strana. (p. 58)

Lehká Hlava Une salle à manger exotique et des préparations d'une fraîcheur parfaite. (p. 90)

Déjeuner rapide

Mistral Café Peut-être bien le bistrot le plus cool de la Vieille Ville. (p. 72)

Havelská Koruna Cantine en self-service, servant une cuisine tchèque institutionnelle et bon marché. (p. 91)

Hostinec U Tunelu Un menu de qualité pour déjeuner dans une taverne pittoresque. (p. 130)

À savoir

- Certains établissements facturent un supplément pour le "*couvert*" (pain et condiments) et l'indiquent sur la carte.

- Si vous êtes satisfait du service laissez un pourboire en arrondissant aux 50 Kč ou 100 Kč supérieures.

Prendre un verre

À chaque coin de rue ou presque, vous trouverez un pub, un bar à vins, une brasserie ou un bar à cocktails. Malgré un intérêt grandissant pour le vin et les cocktails, Prague reste amoureuse de la bière et les marques nationales doivent désormais compter avec des microbrasseries de qualité.

Mousses tchèques

En matière de bière (*pivo*), les Tchèques préfèrent les blondes légères (*světlé*) aux brunes (*tmavé*), mais la plupart des pubs servent les deux. La Pilsner Urquell est considérée comme la meilleure marque tchèque, mais la Gambrinus, la Budvar et la Staropramen (brassée à Prague), sont populaires aussi. Les bières tchèques sont généralement classées en *dvanáctka* (12°) ou *desítka* (10°), mais ce n'est pas une référence au degré d'alcool (la plupart des bières affichent 4,5 à 5 degrés). Les bières 12° sont habituellement plus lourdes et plus fortes que les 10°.

Microbrasseries

La mode de la bière artisanale a gagné la République tchèque et Prague en particulier, qui compte une douzaine de pubs dans lesquels des brasseurs servent leurs propres créations, souvent accompagnés d'une bonne cuisine tchèque traditionnelle. Face à la concurrence des microbrasseries, les grandes enseignes ont dû innover, notamment avec la bière non filtrée (*nefiltrované*) et la bière livrée dans des citernes (*tankové pivo*). N'hésitez pas à tester des bières méconnues produites aux quatre coins du pays.

Bière

Prague Beer Museum
Un pub avec plus de 30 bières à la pression. (p. 125)

Klášterní Pivovar Strahov
Bonne bière du monastère de Strahov. (p. 45)

U Zlatého Tygra Institution pragoise : Václav Havel y emmena Bill Clinton en 1994 pour lui montrer un véritable pub tchèque. (p. 91)

ARIEH/SHUTTERSTOCK©

Pivovarský Dům
Microbrasserie populaire, avec de nombreuses bières à la pression et une cuisine tchèque convenable. (p. 117)

Letná Beer Garden Un beer garden avec vue imprenable sur Prague. (p. 141)

U Tří růží Une brasserie fidèle à la tradition, dans laquelle sont produites six sortes de lagers. (p. 93)

Bars à cocktails

Hemingway Bar Un refuge douillet et sophistiqué. (p. 93)

Tretter's New York Bar Des cocktails haut de gamme, à la new-yorkaise. (p. 74)

Bars à vins

Le Caveau À Vinohrady, ce bistrot-épicerie propose d'excellents vins français. (p. 125)

Café Kaaba Café rétro proposant des vins du monde entier, au verre. (p. 132)

Cafés

Grand Café Orient Un joyau cubiste doté d'un balcon ensoleillé. (p. 93)

Café Louvre Ce café prestigieux est l'un des plus agréables de Prague. (p. 116)

Kavárna Obecní dům Légendaire café de style viennois, dans un édifice Art nouveau. (p. 93)

Café Savoy Dans ce sublime café, le petit-déjeuner est somptueux. (p. 56)

Kavárna Slavia Le plus célèbre café de Prague, face au Théâtre national. (p. 116)

À savoir

○ Au pub, vos consommations seront généralement notées sur un morceau de papier laissé sur votre table ; n'écrivez pas dessus et ne le perdez pas.

○ Pour régler l'addition, dites *zaplatím* ("je vais payer").

Shopping

En dépit de ses rues jalonnées de commerces, Prague n'est pas de prime abord une destination très courue pour le shopping. Mais si vous savez où chercher, vous dénicherez des souvenirs un cran au-dessus de la moyenne, par exemple du cristal de Bohême, du grenat et des marionnettes. Les produits de beauté naturels et les jouets à l'ancienne constituent aussi de fabuleux cadeaux.

Na Příkopě, en centre-ville, est idéal pour les achats classiques dans les enseignes de chaînes internationales les plus connues. La place Venceslas ne vous offrira pas beaucoup d'occasions de sortir votre portefeuille (d'ailleurs, rangez-le bien car les pickpockets y sévissent). Explorez plutôt les ruelles sinueuses de la Vieille Ville.

Souvent surnommée Champs-Élysées de Prague, la clinquante Pařížská est bordée d'enseignes de luxe comme Cartier, Dolce & Gabbana, Hugo Boss et Ferragamo. Dlouhá, Dušní et les rues voisines possèdent quelques boutiques de mode originales, tandis que Celetná, dans le centre, compte aussi des adresses intéressantes.

Souvenirs uniques

Botanicus Des produits de beauté artisanaux mais raffinés, chez un apothicaire à l'ancienne toujours très prisé. (p. 95)

Manufaktura Objets traditionnels tchèques et jouets en bois. (photo ci-dessus ; p. 95)

Bric A Brac Une caverne d'Ali Baba débordant de babioles d'autrefois. (p. 95)

RICHARD NEBESKY/LONELY PLANET©

Design et verrerie

Modernista Des créations de style cubiste tchèque et Art déco : belles céramiques, bijoux, affiches et livres. (p. 95)

Moser Objets ornementés en verre de Bohême. (p. 109)

Artěl Une rencontre entre verrerie traditionnelle et design moderne dans cette élégante boutique de Malá Strana. (p. 59)

Livres et jouets

Marionety Truhlář Dans cette boutique insolite de Malá Strana, les marionnettes traditionnelles proviennent d'ateliers de tout le pays. (p. 59)

Shakespeare & Sons Plus qu'une librairie : un repaire littéraire très plaisant. (p. 59)

Kavka Des livres d'art que vous ne trouverez nulle part ailleurs. (p. 94)

Mode

Klára Nademlýnská La boutique d'une des plus grandes créatrices de mode tchèques. (p. 75)

Bata Les chaussures d'une des marques les plus réputées du pays. (p. 109)

Art

SCULPTURE : PROUDY DE DAVID ČERNÝ ;
DOUG MCKINLAY/LONELY PLANET©

Au fil des siècles, le patrimoine artistique de la ville a été pillé par divers envahisseurs, et les musées pragois n'ont pas l'envergure de leurs homologues de Vienne ou de Paris. Néanmoins, les collections de la Galerie nationale sont bien pourvues en art médiéval, art baroque et art du début du XXe siècle, quand les artistes tchèques commencèrent à s'affirmer véritablement.

Musées d'art

Palais Veletržní Les époustouflantes collections des XXe et XXIe siècles de la Galerie nationale. (p. 136)

Palais Šternberg La collection d'art européen de la Galerie nationale comporte des œuvres de Goya et de Rembrandt. (p. 43)

Musée Mucha Affiches Art nouveau sensuelles, peintures et panneaux décoratifs d'Alfons Mucha. (p. 103)

Couvent Sainte-Agnès Cette collection d'art du Moyen Âge et du début de la Renaissance s'enorgueillit de magnifiques tableaux d'autel de style gothique. (p. 70)

Art public

K L'impressionnante tête pivotante et mouvante de Kafka est désormais l'œuvre d'art public la plus célèbre de Prague ; on la doit à David Černý. (p. 114)

Miminka Dix bébés à quatre pattes, escaladant la tour de la télévision de Žižkov, par David Černý. (p. 129)

Proudy Cette sculpture de David Černý représente deux hommes en train d'uriner dans une flaque en forme de République tchèque. (photo ci-dessus ; p. 51)

Monument à Franz Kafka Cette sculpture insolite figure un petit Franz assis sur les épaules de son propre corps sans tête. (p. 71)

Musées

TOMAS PILLER/500PX©

Prague compte d'innombrables musées, souvent dédiés à des sujets précis, mais la plupart des collections ont un petit côté désuet : des objets statiques exposés derrière d'épaisses vitrines. Récemment rénové, le Musée technique national est une exception bienvenue : interactif et très ludique, il ravira petits et grands.

Musée juif de Prague Des expositions dans une demi-douzaine de synagogues présentent des siècles de vie et traditions juives. Le moment fort est une émouvante balade dans le vieux cimetière juif, avec ses milliers de pierres tombales entremêlées. (p. 64)

Musée technique national L'héritage industriel de la République tchèque présenté en grande pompe, avec des expositions interactives et des locomotives géantes. (en photo ; p. 139)

Musée national Récemment rouvert après des années de rénovation. (p. 103)

Musée de la ville de Prague Un condensé de l'histoire de Prague dans un superbe musée. (p. 113)

Musée des Arts décoratifs Un régal pour les yeux, avec une kyrielle de pièces du XVIe au XIXe siècle : mobilier, tapisseries, porcelaine et verrerie. (p. 69)

Palais Lobkowicz Des œuvres de Cranach et Canaletto, des partitions originales annotées par Mozart et Beethoven et une impressionnante collection d'instruments de musique. (p. 36)

À savoir

- La plupart des musées proposent des billets Famille à tarif réduit.

- La **Prague Card** (praguecoolpass.com) permet l'entrée gratuite ou à tarif réduit pour environ 50 sites, dont beaucoup de musées.

Avec des enfants

ALEXEY PYSHNENKO/500PX©

Il existe une multitude d'activités pour les enfants à Prague. De plus en plus de restaurants de la capitale répondent aux besoins spécifiques des petits, avec des aires de jeux et des menus enfants – si ce n'est pas le cas, on vous proposera toujours une portion réduite, à moindre coût.

Au grand air

Excellente excursion pour toute la famille, le zoo de Prague est implanté au nord du centre-ville, à Troja. Par ailleurs, la capitale tchèque possède de nombreux espaces verts, par exemple Stromovka, où vous pourrez étendre une couverture et laisser votre progéniture se défouler à loisir. Le beau parc de Petřín est parfait pour une pause au milieu des visites ; gravissez la tour de Petřín pour une vue mirifique sur Prague.

En extérieur

Stromovka Le parc le plus vaste du centre de Prague, avec de nombreuses aires de jeux. (p. 140)

Zoo de Prague Des animaux bien sûr, mais aussi un téléphérique miniature. (en photo ; p. 139)

Funiculaire de Petřín Les enfants vont adorer le trajet jusqu'au sommet de la colline. (p. 49)

Des musées passionnants

Musée technique national Un passage obligatoire pour les adolescents curieux et les parents férus de technologie. (p. 139)

Musée des Miniatures Les enfants jubilent devant les minuscules mises en scène de ce musée insolite. (p. 43)

À savoir

- Les enfants de moins de 15 ans paient moitié prix dans la majorité des sites (entrée gratuite pour les moins de 6 ans).

- Dans les transports publics, les enfants de 6 à 15 ans paient moitié prix.

Prague gratuit

Jadis réputée pour son caractère économique, la capitale tchèque a bien changé et il faut mettre la main à la poche pour presque tout. Mais, dans une ville aussi belle, il n'est pas obligatoire de dépenser beaucoup. Les parcs et jardins, notamment celui de Letná, perché sur une colline, sont gratuits, tout comme l'ambiance très vivante du pont Charles.

COURTYARDPIX/SHUTTERSTOCK ©

Le château de Prague sans billet

L'accès au château de Prague, comprenant la visite de la cathédrale Saint-Guy, est assez coûteux, mais on oublie souvent que les jardins sont gratuits. Le point d'orgue d'une visite est la vue sur Malá Strana et la relève de la garde, effectuée toutes les heures ; la plus impressionnante a lieu chaque jour à midi.

Sites gratuits

Quartier de Nový Svět
Une délicieuse solution autre que la ruelle d'Or du château de Prague. (p. 44)

Colline de Petřín
L'accès au parc est gratuit ; renoncez au funiculaire et montez à pied. (p. 48)

Horloge astronomique
Toutes les heures, le carillon sonne publiquement et gratuitement. (p. 79)

Cimetière de Vyšehrad
Ce beau cimetière est la demeure éternelle des compositeurs Smetana et Dvořák, ainsi que du maître de l'Art nouveau Alfons Mucha. (p. 121)

Jardins de Letná
Le somptueux panorama est gratuit, les boissons du beer garden sont en supplément. (p. 139)

À savoir

- Renseignez-vous dans les offices du tourisme pour connaître les concerts, pièces de théâtre et événements culturels gratuits.

- La plupart des églises (à l'exception de la cathédrale Saint-Guy et de l'église Saint-Nicolas) sont en accès libre.

Architecture

À Prague, on contemple de superbes exemples des grands courants de l'architecture européenne (roman, gothique, Renaissance, baroque, Art nouveau,...), du IXe siècle, date de la fondation de la ville, à l'époque contemporaine. La majeure partie du centre-ville est d'ailleurs inscrite au Patrimoine mondial..

DOUG MCKINLAY/LONELY PLANET©

Roman et gothique

Rotonde Saint-Martin Dans le quartier de Vyšehrad, cette petite église circulaire, bel exemple d'architecture romane, serait le plus vieil édifice de Prague encore debout. (p. 121)

Cathédrale Saint-Guy Gothique jusqu'au bout de ses célèbres flèches. (p. 38)

Pont Charles Le pont le plus renommé de Prague est un point de repère gothique. (p. 80)

Renaissance et baroque

Église Saint-Nicolas À Malá Strana, la mère de toutes les églises baroques de Prague. (p. 53)

Loreta Ce lieu de pèlerinage fut construit d'après le site original, en Italie. (p. 40)

Renaissance nationale et Art nouveau

Maison municipale Art nouveau flamboyant. (p. 85)

Grand Hotel Evropa Le faste décadent de cet hôtel et café Art nouveau richement décoré. (p. 99)

Architecture moderne

Église du Sacré-Cœur-de-Jésus L'église la plus singulière de Prague, œuvre de l'architecte slovène Jože Plečnik. (en photo ; p. 129)

Palais Veletržní Ce gigantesque édifice fonctionnaliste n'est pas vraiment un palais tel qu'on peut l'imaginer. (p. 136)

À savoir

- Pour en apprendre plus sur l'architecture pragoise, consultez le site de Prague Unknown (prahaneznama.cz).

Histoire

L'histoire de Prague se découvre à la manière d'un roman, avec une foule de personnages manipulant le destin de la ville, depuis les gloires du Saint Empire romain jusqu'aux abîmes du bloc de l'Est (avec nombre de rebondissements entre-temps). Par chance, la ville échappa à une destruction massive durant la Seconde Guerre mondiale, et chaque édifice, du château à la plus modeste boutique, évoque ce passé.

CRISTIAN PUSCASU/SHUTTERSTOCK ©

Sites royaux

Citadelle de Vyšehrad
Là où tout commença – la plus ancienne fortification de Prague. (p. 120)

Château de Prague
Siège du pouvoir tchèque depuis 1 000 ans. (p. 32)

Horloge astronomique
Un merveilleux mécanisme qui sonne les heures depuis des temps immémoriaux. (p. 79)

Église Saint-Nicolas
Splendeur baroque inspirée par les Habsbourg. (p. 53)

Renaissance nationale

Maison municipale
L'apogée de l'Art nouveau et de l'aspiration nationale. (p. 85)

Théâtre national
Un écrin pour faire rayonner la musique et le théâtre tchèques. (p. 118)

Époque moderne

Mémorial national aux victimes de la répression sous Heydrich
Le lieu où sept partisans tchécoslovaques s'abritèrent des nazis – et connurent une fin tragique – en 1942. (en photo ; p. 114)

Tour de la télévision
La puissance communiste à son paroxysme. (p. 129)

Mur John Lennon
Ce mémorial a été recouvert de graffitis à chaque fois que la police secrète le recouvrait de blanc. (p. 51)

Prague en 4 jours

1er jour

Démarrez de bon matin pour voir l'**horloge astronomique** (p. 79) s'animer à l'heure pile puis flânez sur la **place de la Vieille Ville** (p. 78) caractérisée par son éventail spectaculaire de styles architecturaux et les flèches de **Notre-Dame-de-Týn** (p. 79). De là, promenez-vous dans les ruelles de la Vieille Ville tout en vous dirigeant vers l'un des points de repère les plus emblématiques de Prague, le **pont Charles** (p. 80). Arrêtez-vous pour déjeuner chez **Cukrkávalimonáda** (p. 57) avant de traverser Malá Strana pour grimper au **château de Prague** (p. 32). La visite du château et de la **cathédrale Saint-Guy** (en photo ; p. 38) occupera le reste de la journée. En soirée, offrez-vous un dîner avec vue à la **Villa Richter** (p. 44).

2e jour

Passez la matinée à explorer les ruelles pittoresques de Malá Strana, l'un des plus anciens quartiers de la ville, et le parc de Kampa. Empruntez le **funiculaire de Petřín** (p. 49) pour profiter de la vue qui s'offre depuis la **tour d'observation** (p. 49) au sommet de la colline. De là, prenez le sentier menant au **monastère de Strahov** (en photo ; p. 43) puis redescendez dans Nerudova. Accordez-vous un déjeuner tardif au bord de l'eau, chez **Hergetova Cihelná** (p. 58). Dans l'après-midi, traversez la Vltava pour vous rendre au **Musée juif de Prague** (p. 64). Ensuite, essayez de dénicher un billet de dernière minute pour un opéra ou un ballet au **Théâtre national** (p. 118). Avant le spectacle, prenez un repas léger au **Café Louvre** (p. 116).

3e jour

Commencez la journée par un café au célèbre **Kavárna Slavia** (en photo ; p. 116), à l'une des tables donnant sur le château de Prague. De là, remontez Národní třída jusqu'à la **place Venceslas** (p. 98), en découvrant les sites alentour, notamment le **Musée national** (p. 103) et la **statue de Venceslas** (p. 99). Déjeunez chez **Výtopna** (p. 105). De là, le métro vous mènera à **Vyšehrad** (p. 120), où vous pourrez marcher parmi des ruines et voir les tombes de Dvořak et de Mucha dans le cimetière. Passez la soirée à Vinohrady ou Žižkov et jetez votre dévolu sur l'un des excellents restaurants du secteur, par exemple **Vinohradský Parlament** (p. 130) ou **The Tavern** (p. 131).

4e jour

Pour voir Prague sous un autre angle, partez de la place de la Vieille Ville par l'élégante Pařížská, traversez le pont tchèque (Čechův most) et grimpez jusqu'aux **jardins de Letná** (en photo ; p. 139), d'où l'on jouit d'une vue superbe. Après, dirigez-vous vers l'est pour déjeuner au **Letná Beer Garden** (p. 141). Derrière une imposante façade, le **Musée technique national** (p. 139) est à quelques pas. Si vous avez encore un peu d'énergie, visitez le meilleur musée d'art de Prague (et l'un des moins fréquentés), le **palais Veletržní** (p. 136), avant de prendre le tram pour regagner le centre-ville. Pour votre ultime soirée à Prague, dînez sur le toit-terrasse de **U Prince** (p. 85) et levez votre verre à cette ville merveilleuse.

Les basiques

Pour plus de détails, reportez-vous au *Carnet pratique* (p. 145)

Monnaie
Couronne tchèque
(Koruna česká ; Kč)

Langue Tchèque

Formalités
Pour un court
séjour, il suffit aux
citoyens de l'UE
et suisses d'avoir
une carte d'identité
ou un passeport
valides. Autres
nationalités, voir le site
visitczechrepublic.com/
fr-FR.

Argent
Les DAB sont nombreux
et les cartes bancaires
largement acceptées.

Téléphone portable
Le forfait des voyageurs
européens fonctionne
en République tchèque
comme dans leur
pays d'origine, sans
surcoût. Les autres
voyageurs doivent se
renseigner sur les frais
d'itinérance.

Heure locale
Heure de l'Europe
centrale (GMT +1h
en hiver ; +2h en été).

Budget quotidien

Moins de 80 €
Lit en dortoir 10-20 €
Supermarchés où faire ses courses
Sites touristiques majeurs 10 €

De 80 à 200 €
Chambre double 120-200 €
Dîner trois plats et vin 30 €

Plus de 200 €
Chambre double ou suite dans un hôtel de luxe 200-260 €
Dîner quatre plats dans un restaurant haut de gamme
120 €

Sites web

Lonely Planet (lonelyplanet.fr).
Renseignements, forum de voyageurs, etc.

Prague City Tourism (prague.eu/fr; en français).
Le portail officiel du tourisme à Prague.

Avant-garde Prague (avantgarde-prague.fr).
Site d'information sur la ville et prestataire dédié à l'accueil
des visiteurs francophones.

Prague.com (prague.com).
Guide de la ville et réservation d'hôtels.

IDOS (idos.idnes.cz).
Horaires et tarifs des trains et bus.

Transports publics de Prague (dpp.cz).
Très pratique pour organiser ses déplacements.

Arriver à Prague

Transports publics et taxis sont disponibles aux deux principaux points d'arrivée.

✈ Aéroport de Prague Václav Havel

À environ 15 km de la place de la Vieille Ville.
Taxis Des taxis attendent à l'extérieur des terminaux (700 Kč).
Bus Le n°119 dessert la station de métro Nádraží Veleslavín (32 Kč). Toutes les 30 minutes, le bus direct Airport Express (AE) va à la gare ferroviaire Hlavní Nádraží (60 Kč).

🚆 Gare ferroviaire centrale Praha Hlavní Nádraží

La principale gare est à Nové Město, près de la place Venceslas.
Métro La station est sur la ligne rouge C, avec des liaisons vers Holešovice et Vyšehrad. Changez à Můstek ou Florenc pour d'autres destinations.

Marche Prague se découvre agréablement à pied.

Comment circuler

Le système de transports publics de Prague est l'un des meilleurs en Europe. La plupart des visiteurs se rendent partout où ils en ont besoin à pied, en métro ou en tram.

M Métro

Le métro de Prague (en photo) circule de 5h à minuit, avec des liaisons rapides et fréquentes.

🚋 Tram

Les trams circulent de 5h à minuit. Les trams de nuit (n°91 à 99) sillonnent la capitale toutes les 40 minutes environ.

🚕 Taxi

Les taxis sont pratiques quand on est pressé, mais attention aux escroqueries. Repérez les stations "Taxi Fair Place" dans les principaux secteurs touristiques.

Les quartiers de Prague

Place de la Vieille Ville et Staré Město (p. 77)
Flèches gothiques, architecture Art nouveau, étonnante horloge astronomique et balades en calèche : l'un des espaces publics les plus beaux et les plus animés d'Europe.

Château de Prague et Hradčany (p. 31)
Au sommet d'une colline, ce quartier raffiné se distingue par son château, site emblématique de la capitale.

- Château de Prague
- Cathédrale Saint-Guy
- Loreta
- Colline de Petřín
- Pont Charles
- Vieux Cimetière juif
- Musée de P...
- Ancien... de ville astrono...

Malá Strana et colline de Petřín (p. 47)
Ruelles pavées pittoresques, toits de tuile rouge, cloîtres anciens et parc paisible à flanc de colline sont les caractéristiques du charmant "Petit Côté" de Prague.

Nové Město (p. 111)
Architecture moderne intéressante et cafés tranquilles en bord de rivière sont les points forts de ce quartier méconnu.

Palais Veletržní

Holešovice (p. 135)
Les beer gardens, l'art contemporain et les parcs immenses sont les atouts de ce quartier décontracté, à l'écart du circuit touristique.

Musée juif de Prague et Josefov (p. 63)
Aujourd'hui, l'ancien ghetto juif de Prague conserve plusieurs synagogues historiques et le vieux cimetière juif, à l'atmosphère fascinante.

ée juif ague

hôtel et Horloge omique
Place Venceslas

Place Venceslas et ses environs (p. 97)
Jadis un marché aux chevaux, cette immense place a été le théâtre de nombreux événements de l'histoire tchèque.

Vinohrady et Žižkov (p. 123)
Quartier résidentiel de choix, ce secteur verdoyant abrite bon nombre des bars et cafés les plus branchés de Prague.

Explorer Prague

Château de Prague et Hradčany	31
Malá Strana et colline de Petřín	47
Musée juif de Prague et Josefov	63
Place de la Vieille Ville et Staré Město	77
Place Venceslas et ses environs	97
Nové Město	111
Vinohrady et Žižkov	123
Holešovice	135

Promenades à pied

Jardins de Malá Strana	50
Balade culturelle à Smíchov	60
Le Prague de Kafka	82
Révolution de Velours	100
Vyšehrad, l'autre château de Prague	120
Tournée des bars à Vinohrady et Žižkov	124

Tram de Prague ONDREJ_NOVOTNY_92/SHUTTERSTOCK ©

Explorer
Château de Prague et Hradčany

Lors de vos balades dans la capitale, vous perdrez rarement de vue la cathédrale Saint-Guy, qui se dresse au cœur du château de Prague. Le promontoire sur lequel est posé le château est appelé Hradčany, un secteur débordant de sites fascinants, à la fois religieux et séculiers.

Notre sélection

○ ***Château de Prague (p. 32)*** *De toute beauté, l'ancien palais royal invite à découvrir le plus célèbre ensemble historique de la République tchèque.*

○ ***Cathédrale Saint-Guy (p. 38)*** *Le plus prestigieux des édifices religieux tchèques est un pêle-mêle de styles architecturaux truffé de trésors artistiques.*

○ ***Loreta (p. 40)****. Un lieu de pèlerinage majeur, avec en son cœur la Santa Casa.*

○ ***Bibliothèque de Strahov (p. 43)****. La bibliothèque monastique la plus vaste et ornementée du pays.*

○ ***Ruelle d'Or (p. 34)****. Dans le château, une ruelle jalonnée de maisonnettes colorées. Franz Kafka y écrivit quelques pages lors d'un séjour.*

Comment y aller et circuler

🚌 Ligne 22 jusqu'à Pražský hrad puis 5 minutes à pied ou jusqu'à Pohořelec puis descendre la colline.

Ⓜ Ligne A jusqu'à Malostranská puis monter les marches.

Plan du Château de Prague et Hradčany p. 42

Château de Prague et cathédrale Saint-Guy SVETJEKOLEM/SHUTTERSTOCK ©

Les incontournables
Château de Prague

Le château royal – Pražský hrad pour les Tchèques – fut fondé au IXe siècle par le prince přemyslide Bořivoj. Dominant la Vltava, c'est une ville dans la ville, dont les rangs serrés de flèches, de palais et de tours, surplombent le centre-ville telle une forteresse. L'enceinte du château cache un vaste ensemble de résidences princières, de musées et de galeries qui recèlent des trésors artistiques et culturels.

◉ PLAN P. 42, E2
hrad.cz/en
Hradčanské náměstí 1
Tarif plein/réduit à partir de 250/125 Kč, billet valable 2 jours
⊙ jardins 6h-22h, jardin royal 10h-18h avr-oct, bâtiments historiques 9h-18h avr-oct, 9h-16h nov-mars
Ⓜ Malostranská, 🚌 22, 23

Entrée du château

Sur la place de Hradčany, l'entrée principale du château est flanquée de statues baroques représentant un combat de géants (1767-1770), à côté desquelles les gardes du château semblent bien minuscules. Après la chute du communisme en 1989, Václav Havel demanda au costumier du film *Amadeus* (de Miloš Forman) de redessiner leurs uniformes. Une fois par heure, à l'heure pile, se déroule la relève de la garde – le cérémonial complet ayant lieu à midi.

Pinacothèque du château

En 1648, des envahisseurs suédois pillèrent la collection d'art de l'empereur Rodolphe II et dérobèrent les statues originales en bronze du jardin Wallenstein. La **galerie de peinture** (fermée pour travaux jusqu'à nouvel ordre), située dans des écuries Renaissance réunit une collection d'art européen (XVIᵉ-XVIIIᵉ siècles) où l'on retrouve les noms de Holbein le Jeune, Cranach, Titien, Tintoret et Rubens.

Monolithe de Plečnik

Dans la troisième cour, près de la cathédrale Saint-Guy, ce monolithe de granit dédié aux victimes de la Première Guerre mondiale a été conçu par l'architecte slovène Jože Plečnik en 1928. Non loin, se dresse une copie de la statue en bronze de saint Georges terrassant le dragon.

Ancien Palais royal

Magnifique exemple du gothique flamboyant, la **salle Vladislav** (Vladislavský sál ; 1493-1502), fut conçue par Benedikt Rejt. Depuis 1934 tous les présidents de la République ont prêté serment ici. Un balcon offre une belle vue sur la ville, tandis qu'une porte mène à l'ancienne chancellerie de Bohême, où eut lieu la deuxième défenestration de Prague en 1618, événement déclencheur de la guerre de Trente Ans.

★ À savoir

○ Les sites du château ouvrent leurs portes à 9h ; soyez-y un peu avant pour éviter la foule.

○ Il faut au moins une demi-journée pour visiter les lieux.

○ Des visites guidées en français peuvent être réservées en appelant le ☏ 224 373 584. Elles durent 1 heure environ et partent des centres d'information. Il existe aussi un service d'audioguide.

○ Le site kulturanahrade.cz donne un agenda des différentes manifestations culturelles organisées au château.

✗ Une petite pause ?

Plusieurs établissements répartis autour du château permettent de prendre un verre. Notre préféré (où il est également possible de déjeuner) est le ravissant **Lobkowicz Palace Café** (p. 44), au rez-de-chaussée du palais.

Musée d'Histoire du château de Prague

Logé dans les caves gothiques de l'ancien Palais royal, cet immense **musée** (tarif plein/réduit 140/70 Kč ; 9h-17h, 9h-16h nov-mars) couvre mille ans d'histoire. Parmi les pièces exposées les plus parlantes, citons la tombe d'un combattant du IXe siècle découverte dans l'enceinte du château, le casque et la cotte de mailles de saint Venceslas et une copie de la couronne en or, réalisée pour Charles IV en 1346.

Basilique Saint-Georges

Derrière une façade de brique rouge baroque, ajoutée au XVIIIe siècle, se cache la **basilique** (Bazilika sv Jiří ; hrad.cz ; Jiřské náměstí ; entrée comprise dans les billets des circuits A et B du château de Prague ; 9h-17h avr-oct, 9h-16h nov-mars) romane la mieux préservée du pays. La structure originale fut édifiée au Xe siècle par Vratislav Ier (père de saint Venceslas), enterré ici aux côtés de sainte Ludmilla. Un lieu apprécié pour les concerts qui y sont parfois donnés.

Ruelle d'Or

Construites au XVIe siècle pour loger les gardes du château, les maisonnettes colorées de cette **allée** (Zlatá ulička ; entrée comprise dans les billets des circuits A et B du château de Prague ; 9h-17h avr-oct, 9h-16h nov-mars) pavée hébergèrent également des orfèvres (à qui la ruelle doit son nom) ainsi que des artistes. Franz Kafka passa l'automne 1916 au n°22 de la rue, chez sa sœur Ottla.

Ruelle d'Or MO WU/SHUTTERSTOCK ©

Rois et châteaux

L'histoire royale de Prague est émaillée d'épisodes tragiques, entre défenestrations au château et condamnations au bûcher.

Origines

Le nom de "Bohême", qui désigne encore aujourd'hui les provinces occidentales de la République tchèque, vient de la tribu celte des Boïens, qui vivaient dans la région de Prague depuis plusieurs siècles avant l'arrivée des Slaves, autour du VIe siècle. La dynastie des Přemyslides, au IXe siècle, est restée célèbre pour avoir construit la partie la plus ancienne du château actuel.

L'âge d'or

Après l'extinction de la dynastie des Přemyslides, Prague passe sous le contrôle de l'empereur romain germanique Charles IV (1316-1378) et connaît une période d'épanouissement. Charles, tchèque par sa mère, confère à la ville un statut impérial. Il fonde la Nouvelle-Ville (Nové Město) et dote Prague de nombreux édifices dont le pont Charles, l'université Charles et, dans l'enceinte du château, la cathédrale Saint-Guy.

Au XVe siècle, un mouvement mené par le réformateur Jan Hus, recteur à l'université de Prague, dénonce la corruption au sein de l'Église catholique. Accusé d'hérésie, Hus est condamné au bûcher à Constance en 1415. Sa mort entraînera des décennies de luttes entre catholiques et hussites.

Le règne des Habsbourg

En 1526, la Bohême passe sous le contrôle de l'Empire autrichien des Habsbourg. Désireux de restaurer la primauté de l'Église catholique, ces derniers vont s'aliéner la majorité des Tchèques protestants. En 1618, des représentants des États de Bohême défenestrent deux conseillers catholiques au château, déclenchant la guerre de Trente Ans (1618-1648) qui embrase l'Europe entière. L'aristocratie tchèque est défaite en 1620 à la bataille de la Montagne Blanche (Bílá Hora). Les Tchèques perdent leur indépendance. Ils ne la retrouveront que trois siècles plus tard.

Palais Rosenberg

Ancienne demeure de la famille Rosenberg, ce **palais** Renaissance du XVIe siècle (Rožmberský palác ; Jiřská 1 ; entrée comprise dans le billet du circuit A du château de Prague ; ⏱ 9h-17h avr-oct, 9h-16h nov-mars) a été transformé par l'impératrice Marie-Thérèse en institut pour les dames de la noblesse sans ressources et sans époux – jusqu'à 30 protégées pouvaient y loger. Des pièces ont été recréées afin de donner un aperçu du cadre de vie – plutôt cossu – de ces pensionnaires au XVIIIe siècle.

Palais Lobkowicz

Ce **palais** (Lobkovický palác ; 📞 233 312 925 ; lobkowicz.com ; Jiřská 3 ; tarif plein/réduit 295/220 Kč ; 🕐 10h-18h lun-ven) du XVIᵉ siècle héberge un musée privé, connu sous le nom de Collections princières. Résidence de la famille Lobkowicz depuis quatre siècles, il fut confisqué par les nazis durant la guerre, puis par les communistes en 1948, et restitué à William Lobkowicz en 2002. S'y côtoient œuvres d'art (Cranach, Bruegel l'Ancien, Piranèse...), mobilier et documents anciens liés à l'histoire de la musique. On peut ainsi voir des partitions originales annotées par Mozart et Beethoven, ainsi qu'un ensemble d'instruments de musique. Un audioguide, enregistré par le propriétaire, vous accompagne lors de la visite.

Jardin royal

Une porte côté nord de la deuxième cour mène au **pont Poudrier** (Prašný most, 1540), qui enjambe le **fossé aux Cerfs** (Jelení příkop) et conduit au **jardin royal** (Královská zahrada ; entrée libre ; 🕐 10h-18h avr-oct) créés par Ferdinand Iᵉʳ en 1534 dans un style Renaissance. Trois splendides édifices ornent le jardin. Le plus remarquable est la maison du **Jeu de paume** (Míčovna ; 1569), un chef-d'œuvre de décor Renaissance en sgraffite. À l'est, le **palais d'Été** ou **Belvédère** (Letohrádek), érigé entre 1538 et 1563, est l'un des plus beaux exemples de bâtiments Renaissance hors d'Italie. À l'ouest s'étend

l'ancien **manège** (Jízdárna) qui date de 1695. Ces trois bâtiments accueillent des expositions.

Jardins sud

Les trois jardins alignés sous la muraille sud du château – le **jardin du Paradis**, le **jardin Hartig** et le **jardin sur les remparts** – offrent une vue splendide sur les toits de Malá Strana. L'entrée se fait par l'ouest via les marches du nouveau château, ou par l'est, via celles de l'ancien château.

Visite du château de Prague

Plusieurs types de billets (valable 2 jours) permettent d'accéder aux sites du château de Prague. À l'heure où nous écrivons ces lignes, ces circuits étaient en suspens.
Circuit A (tarif plein/réduit/famille 350/175/700 Kč) : cathédrale Saint-Guy, ancien Palais royal, musée d'Histoire du château, basilique Saint-Georges, tour Poudrière, ruelle d'Or, Daliborka et palais Rosenberg.
Circuit B (tarif plein/réduit/famille 250/125/500 Kč) : ancien Palais royal, basilique Saint-Georges, ruelle d'Or et Daliborka.
Circuit C (tarif plein/réduit/famille 350/175/700 Kč) : trésor de Saint-Guy et pinacothèque..

Vous pourrez acheter vos billets à l'un des deux points d'information des **deuxième** (📞 224 372 423 ; 🕐 9h-17h avr-oct, 9h-16h nov-mars) et **troisième cours** (📞 224 372 434 ; 🕐 9h-17h avr-oct, 9h-16h nov-mars), ou aux billetteries aux entrées de chaque site.

Château de Prague

Les incontournables
Cathédrale Saint-Guy

La construction de la plus célèbre église du pays débuta en 1344. D'apparence gothique, si l'on en juge ses flèches élancées, la cathédrale Saint-Guy demeura largement incomplète jusqu'à sa consécration tardive en 1929. L'édifice, où furent sacrés les rois de Bohême jusqu'au milieu du XIXe siècle, est désormais le siège de l'archevêché de Prague et la dernière demeure des saints et rois de Bohême, de saint Venceslas à Charles IV.

⊙ PLAN P. 42, E2

Katedrála sv Víta
📞 257 531 622
katedralasvatehovita.cz/fr
🕘 9h-17h lun-sam avr-oct, 12h-17h dim, 12h-16h nov-mars
🚌 22, 23

Vitraux

La nef baigne dans la lumière colorée des vitraux créés au début du XXe siècle. Dans la troisième chapelle côté nord (sur la gauche en entrant), remarquez celui d'Alfons Mucha, qui dépeint la vie des saints Cyrille et Méthode.

Porte Dorée

L'entrée sud de la cathédrale, appelée Porte Dorée (Zlatá brána), est un élégant porche gothique à trois arches conçu par l'architecte Peter Parler (1330-1399). Elle est ornée d'une mosaïque figurant le Jugement dernier.

Oratoire royal

Les rois s'adressaient à leurs sujets du haut de ce balcon (1493) de style gothique tardif, décoré de nervures semblables à des branches d'arbres.

Tombeau de saint Jean Népomucène

Le spectaculaire tombeau de saint Jean Népomucène, tout en argent (le tombeau en contient 2 tonnes), est coiffé d'un dais porté par des anges. La légende raconte que lors de l'exhumation du corps de ce prêtre martyr de nombreuses années après sa mort, sa langue était intacte. L'Église le canonisa et commanda ce tombeau pour y placer la dépouille.

Chapelle Saint-Venceslas

Les murs de la plus belle des chapelles latérales sont revêtus de panneaux dorés garnis de dalles de pierres polies semi-précieuses. Des fresques du début du XVIe siècle représentent des scènes de la vie du saint patron des Tchèques, tandis que des peintures murales plus anciennes illustrent la vie du Christ. Du côté sud, une petite porte (fermée par sept verrous) mène à la salle où sont conservés les joyaux de la Couronne de Bohême.

★ À savoir

o Faites de la cathédrale Saint-Guy votre première visite du matin, quand l'affluence est moindre.

o Pour une vue spectaculaire, gravissez les escaliers de la tour de la cathédrale. Cet accès n'est pas inclus dans les circuits du château.

✕ Une petite pause ?

Avant d'affronter la foule, rien de tel qu'une tasse de thé au jasmin ou un repas léger au **Malý Buddha** (p. 44), en dehors du château, à quelques pas de l'entrée principale.

Les incontournables
Loreta

Le sanctuaire Notre-Dame-de-Lorette, appelé Loreta, est une église emblématique de la Contre- Réforme, fondée par Catherine de Lobkowicz en 1626. C'est un lieu de pèlerinage, axé sur une réplique de la Santa Casa de Loreto en Italie – selon la légende, les Anges auraient transporté la Santa Casa ("Sainte Maison"), résidence de la Vierge, de Nazareth jusqu'à Loreto pour la protéger de l'avancée des Turcs.

🎯 PLAN P. 42, B3

📞 220 516 740

loreta.cz

Loretánské náměstí 7

Tarif plein/réduit/6-15 ans 180/140-120/90 Kč

🕘 9h-17h avr-oct, 9h30-16h nov-mars

🚋 22, 23

Santa Casa

La réplique de la Sainte Maison se dresse au centre d'un beau cloître baroque (remarquables fresques sous les arcades), agrémenté de deux majestueuses fontaines. Le pourtour du cloître arbore des bas-reliefs illustrant la vie de la Vierge et un autel en argent ouvragé, doté d'une effigie en bois de Notre-Dame-de-Lorette.

Soleil de Prague

L'éblouissant trésor de Notre-Dame-de-Lorette a pour pièce maîtresse cet ostensoir époustouflant serti de 6 222 diamants, don de la comtesse Ludmila de Kolowrat au sanctuaire. Par testament, elle indiqua que l'objet devrait être réalisé à partir de sa collection personnelle de diamants, cadeaux de mariage de son troisième époux.

Église de la Nativité de Notre-Seigneur

Derrière le sanctuaire se dresse l'église baroque de la Nativité (Kostel Narození Páně), bâtie en 1737 selon les plans de Kristof Dientzenhofer. Elle renferme les corps momifiés des saintes espagnoles Felicissima et Marcia, richement habillées et portant des masques de cire.

La femme à barbe

À l'angle de la cour se dresse la chapelle de Notre-Dame-des-Douleurs (Kaple Panny Marie Bolestné), dotée d'une statue de sainte barbue. Sainte Starosta, pieuse fille d'un roi portugais, fut promise contre son gré au roi de Sicile. Après une nuit de prières destinées à empêcher cette union, elle se réveilla le visage couvert de barbe. Furieux, son père la fit crucifier. Elle devint plus tard la patronne des nécessiteux et des malheureux.

★ À savoir

○ La location d'un audioguide (150 Kč), disponible en plusieurs langues, vaut le coup.

○ Le tarif Famille (370 Kč) est valable pour 2 adultes et jusqu'à 5 enfants de moins de 15 ans.

○ Pour prendre des photos (flash et trépied interdits), il faut s'acquitter d'un permis de 100 Kč.

○ Le clocher abrite un carillon de 27 clochettes qui jouent un hymne à la Vierge toutes les heures de 9h à 18h.

✗ Une petite pause ?

Pour prendre un verre dans les environs, une seule adresse : le **Hostinec U Černého Vola** (p. 45), en face de la Loreta.

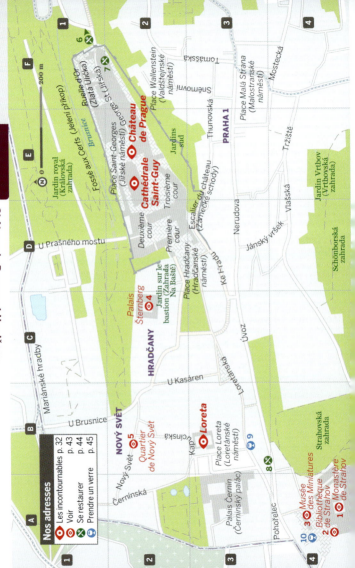

Voir

Monastère de Strahov
ENSEMBLE RELIGIEUX

1 ◎ PLAN P. 42, A4

Le monastère de Strahov fut fondé en 1140 par Vladislav II pour l'ordre des Prémontrés. L'ensemble actuel date des XVIIe et XVIIIe siècles. Fermé sous le régime communiste (la plupart des moines furent alors emprisonnés), le monastère a repris vie avec le retour des frères en 1990. L'élément le plus intéressant est la magnifique bibliothèque de Strahov (p. 43).

Une fois franchie la porte principale, on accède à l'**église Saint-Roch** (kostel sv Rocha), construite en 1612 et reconvertie en galerie d'art, et à l'**église Notre-Dame-de-l'Assomption** (kostel Nanebevzetí Panny Marie), bâtie en 1143 et et remaniée au XVIIIe siècle dans le style baroque. Mozart y aurait joué de l'orgue. (Strahovský klášter ; 📞 233 107 704 ; strahovskyklaster.cz/en ; Strahovské nádvoří 1 ; 🚊 22, 23)

Bibliothèque de Strahov
ÉDIFICE HISTORIQUE

2 ◎ PLAN P. 42, A4

La plus vaste bibliothèque monastique du pays se compose de deux magnifiques salles baroques des XVIIe et XVIIIe siècles. Vous pourrez jeter un œil à travers les portes, mais malheureusement pas pénétrer à l'intérieur – les variations d'humidité dues à la respiration des visiteurs endommageraient les fresques. Également une exposition de curiosités historiques. (Strahovská knihovna ; 📞 233 107 718 ; strahovskyklaster.cz ; Strahovské nádvoří 1 ; tarif plein/réduit 150/80 Kč ; ⏰ 9h-11h30 et 12h30-17h ; 🚊 22, 23)

Musée des Miniatures
INSOLITE

3 ◎ PLAN P. 42, A4

Anatoly Konenko fabriquait autrefois des instruments de microchirurgie. Mais durant son temps libre, il a passé plus de sept ans à concevoir des fers en or pour... une puce. Ce musée expose ses étranges créations, dont un tableau de Matisse miniature et une caravane de chameaux logée dans le chas d'une aiguille. (Muzeum Miniatur ; 📞 233 352 371 ; muzeumminiatur. cz ; Strahovské nádvoří 11 ; tarif plein/réduit 130/70 Kč ; ⏰ 9h-17h ; 🚊 22)

Palais Šternberg
MUSÉE

4 ◎ PLAN P. 42, C2

Ce palais baroque rassemble la collection d'art européen de la Galerie nationale allant de l'Antiquité gréco-romaine au XVIIIe siècle. Celle-ci comprend notamment des œuvres de Bruegel, Rembrandt et Goya, ainsi que de nombreux retables médiévaux et une collection miniatures de Bohême. Le musée a pour fleuron la *Célébration du Rosaire* (1505) d'Albrecht Dürer (1471-1528). Peinte à Venise pour l'église San Bartolomeo, cette huile sur bois fut apportée à Prague par Rodolphe II. L'artiste s'est représenté en arrière-plan, sous un arbre à droite.

Le palais a rouvert récemment après plusieurs années de rénovation. (Šternberský palác ; ngprague.cz ; Hradčanské náměstí 15 ; billet combiné de la Galerie nationale 500 Kč, billet simple tarif plein/-26 ans 500 Kč/gratuit ; ⏲10h-18h mar-dim, 10h-20h mer ; 🚊22, 23)

Quartier de Nový Svět

QUARTIER

5 ◉ PLAN P. 42, B2

Au XVIᵉ siècle, des maisons furent construites pour le personnel du château dans une enclave de rues pavées serpentant au pied de la colline, au nord de la Loreta. Aujourd'hui, ces toutes petites maisons ont été restaurées et peintes dans des tons pastel, faisant du quartier du "Nouveau Monde" une solution parfaite pour éviter la ruelle d'Or du château souvent bondée. L'astronome danois Tycho Brahe vécut au 1 Nový Svět. (🚊22, 23)

Se restaurer

Villa Richter

TCHÈQUE €€

6 🍴 PLAN P. 42, F1

Logé dans une villa restaurée du XVIIIᵉ siècle au cœur d'un vignoble médiéval replanté, cet établissement vise ouvertement les foules de touristes qui investissent les abords du château. Cela dit, le cadre a du cachet

– tables en terrasse avec l'une des plus belles vues de la ville –, et le menu de spécialités tchèques est à la hauteur. (📞702 205 108 ; villarichter.cz ; Staré zamecké schody 6 ; plats 345-745 Kč ; ⏲11h-23h ; Ⓜ Malostranská)

Lobkowicz Palace Café

CAFÉ €€

7 🍴 PLAN P. 42, F2

Ce café installé dans le palais Lobkowicz (XVIᵉ siècle) est de loin la meilleure adresse dans l'enceinte du château. Tâchez d'obtenir une table au balcon à l'arrière – la vue sur la ville est à ravir, tout comme le goulasch et le café. Service rapide et avenant. (lobkowicz.com ; Jiřská 3 ; plats 205-280 Kč, menu 3 plats 365 Kč ; ⏲10h-18h ; 🛜♿ ; 🚊22, 23)

Malý Buddha

ASIATIQUE €

8 🍴 PLAN P. 42, B3

Des bougies, de l'encens et un sanctuaire bouddhique agrémentent ce salon de thé asiatique intimiste et inattendu, en face de l'ambassade de Suède. La carte annonce un mélange d'influences asiatiques, avec d'authentiques nouilles thaïlandaises, du riz chinois et des soupes vietnamiennes ; beaucoup de plats sont végétariens. Parmi les boissons : vin de ginseng, alcool de rose chinois et toutes sortes de thés. (📞220 513 894 ; malybuddha.cz ; Úvoz 46 ; plats 150-300 Kč ; ⏲12h-22h mar-dim ; 🍴 ; 🚊22, 23)

Le bon "roi" Venceslas

En 1853, le prêtre britannique John Mason Neale composa le célèbre chant de Noël *Le Bon Roi Vencéslas* en 1853. Toutefois, Neale se trompa car Vencéslas (Václav en tchèque) ne fut jamais roi, mais duc de Bohême. Il contribua à diffuser le christianisme sur le territoire tchèque de 925 à 929. Aujourd'hui saint patron des Tchèques, son image est omniprésente dans la capitale, de la cathédrale Saint-Guy à la statue de Vencéslas, sur la place du même nom. Sa conversion au christianisme aurait suscité le courroux de sa mère et de son frère, Boleslav, qui finit par tuer le jeune duc dans un accès de jalousie.

Prendre un verre

Hostinec U Černého vola   PUB

9   PLAN. 42, B3

La survie de ce pub tchèque sans fioritures tient autant du miracle que la présence du sanctuaire Notre-Dame-de-Lorette juste en face. Ce lieu un peu négligé est parfait pour retrouver l'atmosphère hédoniste de la fin des années 1980 et du début des années 1990 avec d'excellentes bières, une foule bruyante en soirée, des inconnus qui se prennent dans les bras, des saucisses au vinaigre bon marché et du café turc à 22 Kč. (Loretánské náměstí 1 ; ⏰10h-22h ; 🚋22, 23)

Klášterní Pivovar Strahov   BRASSERIE

10   PLAN P. 42, A4

Orné de deux imposantes chaudières à houblonner, ce petit bar convivial dans le monastère de Strahov propose sa bière St Norbert sous deux formes : la *tmavý* (brune), une bière puissante avec faux col mousseux, et la *polotmavý* (ambrée), au goût de houblon plus prononcé – également quelques bières spéciales de saison. La bière figure souvent parmi les ingrédients des plats, un peu onéreux. (Brasserie du monastère de Strahov ; ☎233 353 155 ; klasterni-pivovar.cz ; Strahovské nádvoří 301 ; ⏰10h-22h ; 🚋22, 23)

Explorer

Malá Strana et colline de Petřín

Dédale pittoresque de rues pavées, le quartier baroque de Malá Strana ("Petit Côté") occupe le flanc de colline qui sépare le château de Prague de la Vltava. Le cœur du quartier est la Malostranské náměstí, la place principale, que domine la coupole verte de l'église Saint-Nicolas. La colline de Petřín, grand parc dans lequel se dresse une réplique de la tour Eiffel, se trouve au sud de la place.

Notre sélection

○ **Colline de Petřín (p. 48)**. *Face au château, cette colline boisée s'enorgueillit de nombreux sites et offre une échappée plaisante, à l'écart de la cohue touristique.*

○ **Jardins de Malá Strana (p. 50)**. *Ces jardins secrets sont une oasis de détente criblée de beautés baroques.*

○ **Église Saint-Nicolas (p. 53)**. *L'une des plus belles églises baroques d'Europe domine l'extrémité nord de la place Malostranské.*

○ **Nerudova (p. 54)**. *Bordée de palais et de hautes maisons baroques, cette rue sinueuse fait partie de la voie royale et grimpe jusqu'au château.*

Comment y aller et circuler

🚊 12, 15, 20, 22 ou 23 jusqu'à Malostranské náměstí, jusqu'à Hellichova ou jusqu'à Újezd.

Ⓜ Station la plus proche, Malostranská, sur la ligne A.

Plan de Malà Strana et colline de Petřín p. 52

Rue de Malà Strana MARCUS LINDSTROM/GETTY IMAGES ©

Les incontournables
Colline de Petřín

Cette colline de 318 m est l'un des plus vastes espaces verts de la capitale. La vue depuis la plate-forme d'observation de la tour panoramique est spectaculaire. Le site comportait jadis des vignes et une carrière dont furent extraites les pierres ayant servi à la construction de la plupart des monuments romans et gothiques de Prague. Prenez le funiculaire : l'ascension rend la visite encore plus pittoresque.

 PLAN P. 52, B3
⊙ 24h/24
🚊 Nebozízek, Petřín

Funiculaire de Petřín

Inauguré en 1891 pour l'Exposition universelle, le **funiculaire** (Lanová dráha na Petřín ; ☏ 800 191 817 ; dpp.cz ; Újezd ; tarif plein/enfant 32/16 Kč ; ⏱ 9h-23h30 avr-oct, 9h-23h20 nov-mars ; 🚊 9, 12, 15, 20, 22, 23) circule toutes les 15 minutes d'Újezd à la tour panoramique de Petřín, et marque un arrêt à Nebozízek.

Tour d'observation de Petřín

Haute d'environ 60 m, cette **tour** (Petřínská rozhledna ; ☏ 257 320 112 ; prague.eu/en/the-towers-of-prague ; tarif plein/réduit 150/100 Kč ; ⏱ 10h-20h mai-juin et oct-nov, 10h-21h juil-sept ; 🚊 Petřín), édifiée en 1891 sur le modèle de la tour Eiffel, offre une vue magnifique sur la ville et, par temps clair, sur les forêts de la Bohême centrale. La tour compte 299 marches – mais comporte un ascenseur.

Mémorial aux victimes du communisme

Cet ensemble sculptural (Památník obětem komunismu ; angle Újezd et Vítězná ; 🚊 9, 12, 15, 20) se compose de sept figures humaines en bronze qui se désintègrent progressivement le long d'un escalier. Une bande métallique dénombre les victimes du communisme : 205 486 personnes arrêtées, 170 938 exilés, 248 exécutés, 4 500 morts en prison et 327 citoyens abattus en tentant de franchir la frontière.

Labyrinthe des Glaces

Au pied de la tour panoramique, le **labyrinthe des Glaces** (Zrcadlové bludiště ; prague.eu ; Petřínské sady ; tarif plein/réduit 100/80 Kč ; ⏱ 10h-18h mai-juin et oct-nov, 10h-20h juil-août, 10h-19h sept ; 🚊 Petřín) date également de 1891. Outre ce dédale de miroirs déformants, figure un diorama de la bataille qui opposa les Pragois aux Suédois sur le pont Charles en 1648.

★ À savoir

- Avant de gravir la colline de Petřín, achetez de quoi pique-niquer : de nombreux bancs et espaces où poser une couverture vous attendent.

- Gravir la colline à pied est une agréable solution.

- De nuit, le funiculaire offre une superbe vue sur la ville illuminée.

- Plutôt que d'emprunter le funiculaire pour redescendre, traversez le parc en direction du nord et du monastère de Strahov.

✕ Une petite pause ?

Situé à mi-hauteur du trajet du funiculaire, le restaurant **Nebozízek** (☏ 602 312 739 ; nebozizek.cz ; Petřínské sady 411 ; plats 220-650 Kč ; ⏱ 11h-22h) offre une vue magnifique. Il est aussi accessible à pied.

Le **Café Savoy** (p. 56) est parfait pour un café ou un déjeuner.

Promenade à pied

Jardins de Malá Strana

Les aristocrates qui habitaient Malá Strana aux XVIIe et XVIIIe siècles créèrent de magnifiques jardins, dont beaucoup sont ouverts au public. D'avril à octobre, dès que le soleil brille, ces parcs se peuplent de Pragois venus se détendre à la pause de midi. Attention : de nombreux parcs sont fermés de novembre à mars.

Départ Jardins palatiaux sous le château de Prague, M Malostranská

Arrivée Jardin Vrtbov, M Malostranská

Distance et durée 2,6 km, 2 heures

❶ Les jardins palatiaux sous le château de Prague

Ces jolis **jardins** (Palácové zahrady pod Pražským hradem ; palacove-zahrady.cz ; adulte/enfant 80/60 Kč ; ⏰10h-19h mai-sept, 10h-18h avr et oct) en terrasses s'étagent le long de pentes abruptes, en contrebas du château. Ils furent aménagés aux XVIIe et XVIIIe siècles. Restaurés dans les années 1990, ils se distinguent par une loggia Renaissance décorée de fresques pompéiennes et un portail baroque dont le cadran solaire capte la lumière du soleil, que reflète l'eau d'une fontaine ornée d'un triton.

❷ Le jardin Wallenstein

Créé pour le duc Albrecht de Wallenstein au XVIIe siècle, ce **jardin** (Valdštejnská zahrada ; Lentenská 10 ; entrée libre ; ⏰7h30-18h lun-ven, 10h-18h sam-dim mars-oct, jusqu'à 19h juin-sept), dans l'enceinte du Sénat, est un havre de paix au milieu de l'agitation des rues de Malá Strana. Son plus bel élément, l'immense loggia décorée de scènes de la guerre de Troie, est flanqué d'une grotte aux stalactites artificielles aux parois sculptées de visages grotesques.

❸ Les jardins Vojan

Moins bichonné que les autres parcs de Malá Strana, les **jardins Vojan** (Vojanovy sady ; U Lužického semináře ; entrée libre ; ⏰8h-crépuscule ; Ⓜ Malostranská) ont la faveur des habitants qui viennent s'y aérer ou y faire la fête en été.

❹ Une fontaine atypique

Sur la place devant le musée Franz Kafka, les flashs crépitent autour de **Proudy** ("jet" ; 2004). Cette sculpture décalée de l'artiste David Černý représente deux hommes urinant dans une flaque qui a la forme de la République tchèque.

❺ L'île Kampa

Île bordée par la Vltava et le Čertovka (ruisseau du Diable), Kampa est la partie la plus paisible et pittoresque de Malá Strana. Ce parc arboré, au bord de l'eau, est l'un des lieux de détente favoris des Pragois.

❻ Mur John Lennon

John Lennon, assassiné en 1980 devint un héros pacifiste pour la jeunesse tchèque. Un **mur** (Velkopřevorské náměstí), sur une place retirée face à l'ambassade de France, fut orné d'un portrait de l'artiste accompagné de messages politiques contre le pouvoir.

❼ Le jardin Vrtbov

Caché le long d'une ruelle à l'angle de Tržiště et de Karmelitská, le **jardin Vrtbov** (Vrtbovská zahrada ; vrtbovska.cz ; Karmelitská 25 ; tarif plein/réduit 80/60 Kč ; ⏰10h-18h avr-oct), jardin baroque de style italien, fut conçu en 1720 pour le comte de Vrtba, grand chancelier du château de Prague. Il s'étage sur le versant d'une colline jusqu'à une terrasse ornée de statues de Matthias Braun représentant des divinités romaines.

Malá Strana et colline de Petřín

Nos adresses

- Les incontournables p. 48
- Voir p. 53
- Se restaurer p. 56
- Prendre un verre p. 58
- Sortir p. 58
- Shopping p. 59

HRADČANY
MALÁ STRANA

Musée Franz Kafka
Musée Kampa
U Sovových mlýnů
Île Kampa
Na Kampě
Jardins Vojan (Vojanovy sady)
U Lužického semináře
Cihelná
Míšeňská
Saská
Lázeňská
Nosticova
Prokopská
Nebovidská
Hellichova
Harantova
Všehrdova
Říční
Plaská
Zborovská
Vítězná
Újezd
Mostecká
Tržiště
Karmelitská
Place Malá Strana (Malostranské náměstí)
Clocher de l'église Saint-Nicolas
Église Saint-Nicolas
Musée de l'Enfant-Jésus de Prague
Nerudova
Tomášská
Letenská
Thunovská
Jardins sud
Ke Hradu
Úvoz
Jánský vršek
Vlašská
Jardin Vrtbov (Vrtbovská zahrada)
Quo Vadis (sculpture de David Černý)
Schönborská zahrada
Lobkovická zahrada
Séminárská zahrada
Funiculaire de Petřín (station basse)
U Larové Dráhy
Petřínské Sady
Nebozízek (arrêt du funiculaire)
Colline de Petřín
Růžový sady
Funiculaire de Petřín (station haute)

Pont Mánes (Mánesův most)
Pont Charles (Karlův most)
Pont des Légions (Legií Most)
Vltava
Čertovka
Jánáčkovo nábřeží

200 m

Voir

Église Saint-Nicolas ÉGLISE

1 PLAN P. 52, D1

Le quartier de Malá Strana est dominé par l'imposant dôme vert de l'église Saint-Nicolas, fleuron du baroque pragois (à ne pas confondre avec l'église du même nom située place de la Vieille Ville). Au plafond se déploie l'*Apothéose de saint Nicolas* (1770), la plus grande fresque d'Europe, dont les motifs en trompe l'œil se confondent avec l'architecture. Mozart lui-même joua sur les orgues (1787), dotées de 2 500 tuyaux, et y eut les honneurs d'une messe de requiem le 14 décembre 1791. (Kostel sv Mikuláše ; stnicholas.cz ; Malostranské náměstí 38 ; tarif plein/réduit 100/60 Kč ; 9h-17h fév-oct, 9h-16h nov-janv ; 12, 15, 20, 22, 23)

Clocher de l'église Saint-Nicolas TOUR

2 PLAN P. 52, D1

À l'époque soviétique, le clocher de l'église Saint-Nicolas fut utilisé pour espionner l'ambassade américaine voisine. En montant, on peut d'ailleurs voir un urinoir en fonte, destiné aux guetteurs. Aujourd'hui, il offre aux visiteurs une superbe vue sur Malá Strana et le pont Charles. (en.muzeumprahy.cz/prague-towers ; Malostranské náměstí ; tarif plein/réduit 150/100 Kč ; 10h-18h mai-juin et oct-nov, 9h-21h juil-août, 10h-19h sept ; 12, 15, 20, 22)

Musée de l'Enfant-Jésus de Prague MUSÉE, ÉGLISE

4 PLAN P. 52, D2

L'église baroque **Notre-Dame-de-la-Victoire** (kostel Panny Marie Vítězné), bâtie en 1613, porte sur son maître-autel une représentation en bois et en cire de l'Enfant Jésus haute de 47 cm, datant du XVIe siècle et rapportée d'Espagne en 1628. Connue sous le nom d'**Enfant-Jésus de Prague** (Pražské Jezulátko), elle aurait sauvé la ville de la peste et des destructions de la guerre de Trente Ans. À l'arrière de l'église, un musée expose des costumes avec lesquels la statue est vêtue. (Muzeum Pražského Jezulátka ; 257 533 646 ; pragjesu.cz/en ; Karmelitská 9 ; entrée libre ; 8h30-19h lun-sam, 8h30-20h dim ; 12, 15, 20, 22, 23)

Musée Kampa ART DU XXe SIÈCLE

5 PLAN P. 52, E3

Aménagé dans un ancien moulin, ce musée est consacré à l'art du XXe siècle et à l'art contemporain d'Europe centrale. Vous pourrez y voir une vaste collection de bronzes du sculpteur cubiste Otto Gutfreund ainsi que des peintures de František Kupka, dont *La Cathédrale*, un ensemble fragmenté de quadrilatères bleu et rouge. Le musée accueille aussi des expositions de haut vol. (Muzeum Kampa ; 257 286 147 ; museumkampa.cz ; U Sovových mlýnů 2 ; tarif plein/réduit 320/160 Kč ; 10h-18h ; 12, 15, 20, 22, 23)

Nerudova — RUE

5 PLAN P. 52, C1

En suivant le flux des touristes qui descendent du château par Ke Hradu, vous déboucherez sur la rue Nerudova, l'artère majeure de Malá Strana sur le plan architectural, dont la plupart des façades Renaissance furent revisitées à la mode baroque au XVIIIe siècle. Elle porte le nom de l'écrivain et poète tchèque Jan Neruda (1834-1891 ; auteur du recueil de nouvelles *Les Contes de Malá Strana*), qui vécut dans la **maison Aux Deux Soleils** (dům U dvou slunců ; Nerudova 47) de 1845 à 1857.

La **maison du Fer à Cheval Doré** (dům U zlaté podkovy ; Nerudova 34) a été baptisée ainsi car le bas-relief au-dessus de l'entrée représente saint Venceslas sur son destrier que la légende disait chaussé d'or. À partir de 1765, Josef Bretfeld fit de son **palais Bretfeld** (Nerudova 33) un haut lieu mondain, où il reçut Mozart et Casanova. De style baroque, l'**église Notre-Dame du Perpétuel Secours** (kostel Panny Marie ustavičné pomoci ; Nerudova 24) fut transformée en théâtre de 1834 à 1837, et accueillit des pièces du Réveil national tchèque. La **maison de saint Jean Népomucène** (Nerudova 18), de 1566, arbore une effigie du saint patron de la Bohême, tandis que la **maison Aux Trois Petits Violons** (dům U tří housliček ; Nerudova 12), une demeure gothique reconstruite dans le style néo-Renaissance au XVIIe siècle, appartenait à une famille de luthiers. La plupart des bâtiments sont ornés d'une enseigne. (🚋 12, 15, 20, 22, 23)

Musée ethnographique — MUSÉE

6 PLAN P. 52, D4

Ce pavillon d'été accueille la collection ethnographique du Musée national rassemblant des pièces relatives à la culture populaire tchèque, telles que costumes, instruments, de musique, objets artisanaux et outils agricoles. Y sont aussi

---

Les noms des maisons

Avant que la numérotation des rues n'apparaisse au XVIIIe siècle, les maisons se distinguaient par des noms et des enseignes originaux. Cette pratique fut abolie en 1770 par les autorités de la ville. Avec sa multitude d'enseignes, Nerudova en est l'exemple le plus emblématique. En descendant cette rue, vous remarquerez : "Aux Deux Soleils" (n°47), le "Fer à Cheval Doré" (n°34), "Aux Trois Petits Violons" (n°12), "À l'Aigle Rouge" (n°6), le "Diable" (n°4), "Saint Venceslas à Cheval" (n°34), la "Clef Dorée" (n°27) et le "Gobelet d'Or" (n°16).

Coupole de l'église Saint-Nicolas (p. 53)

organisés des concerts de musique folklorique et des ateliers de démonstration d'artisanat. En été, le café dans le jardin est un véritable havre de paix. (Národopisné muzeum ; ☎257 214 806 ; nm.cz ; Kinského zahrada 98 ; tarif plein/réduit 70/40 Kč ; ⊙10h-18h mar-dim ; 🚊9, 12, 15, 20)

Musée Franz Kafka   MUSÉE

7 ◉ PLAN P. 52, E1

Cette exposition consacrée à la vie et à l'œuvre du plus célèbre des écrivains pragois met en lumière sa relation intime avec la ville qui l'a façonné, à travers des lettres, photos, journaux et publications d'époque, ainsi que des installations audio et vidéo. (Muzeum Franzy Kafky ; ☎257 535 373 ; kafkamuseum.cz ; Cihelná 2b ; tarif plein/réduit 260/180 Kč ; ⊙10h-18h ; Ⓜ Malostranská)

Quo Vadis   MONUMENT

8 ◉ PLAN P. 52, B2

Cette Trabant (voiture qui était produite en Allemagne de l'Est), en bronze juchée sur quatre jambes est un hommage de David Černý aux 4 000 Allemands de l'Est qui occupèrent le jardin de l'ambassade d'Allemagne de l'Ouest en 1989, avant de se voir accorder l'asile politique et de laisser leurs Trabant derrière eux. On peut la voir à travers la clôture derrière l'ambassade d'Allemagne. Montez Vlašská, tournez à gauche dans le parc pour enfants et de nouveau à gauche. (www.davidcerny.cz ; Vlašská 19 ; 🚊12, 15, 20, 22, 23)

Le quartier de Kafka

"Quelqu'un avait dû calomnier Josef K., car sans qu'il eût rien fait de mal, il fut arrêté un matin." La première phrase du livre de Franz Kafka, *Le Procès* (1925), est considérée comme l'un des plus brillants incipits de la littérature mondiale. Cette œuvre témoigne aussi de la nature déconcertante de Prague, et dans la ville natale de l'écrivain, on est facilement touché par son génie. On peut évidemment rendre hommage à Kafka en visitant la maison où il naquit ou en allant se recueillir sur sa tombe, mais les inconditionnels voudront peut-être explorer plus avant la relation complexe qu'il entretenait avec Prague, qu'il décrivait comme petite et oppressante mais aussi envoûtante. Pour eux, le musée Franz Kafka (p. 55) est vivement conseillé.

Se restaurer

Augustine TCHÈQUE €€€

9 PLAN P. 52, D1

Caché dans l'édifice historique de l'Augustine Hotel (admirez les peintures du plafond, dans le bar), ce restaurant à l'atmosphère à la fois sophistiquée et détendue mérite son succès. La carte affiche des plats simples mais délicieux, comme la joue de porc braisée à la bière de l'hôtel, la St Thomas. Menu 2 plats du déjeuner à 380 Kč. (☎266 112 280 ; augustine-restaurant.cz ; Letenská 12 ; plats 350-590 Kč, menu dégustation 4 plats 1 350 Kč ; ⏱7h-23h ; 📶 ; 🚊12, 15, 20, 22)

Café Savoy EUROPÉEN €€

10 PLAN P. 52, D4

Café Belle Époque bien restauré, le Savoy propose des plats aux influences viennoises – soupes copieuses, salades, viandes rôties et escalopes de veau – servis par un personnel élégant. Également, une "carte gastronomique" (plats 400-700 Kč) mettant à l'honneur un steak tartare à la parisienne préparé à votre table et longue carte des vins (demandez conseil auprès du personnel). (☎731 136 144 ; cafesavoy.ambi.cz ; Vítězná 5 ; plats 258-785 Kč ; ⏱8h-22h30 lun-ven, 9h-22h30 sam-dim ; 📶 ; 🚊9, 22, 23)

Ichnusa Botega Bistro ITALIEN €€

11 PLAN P. 52, D4

L'Ichnusa est l'ancien nom de la Sardaigne d'où Antonella Prantedduc fait venir la viande, le fromage et le vin servis dans son sympathique établissement familial, l'un des rares restaurants sardes en Europe de l'Est. Le menu annonce des plats exotiques comme les *malloreddus* (sorte de gnocchis), les *spaghetti alla bottarga* (spaghettis à la boutargue) et l'espadon grillé, mais (heureusement) pas de spécialités sardes à la viande d'âne. (📞605 375 012 ; Plaská 5 ; plats 265-550 Kč ; ⏰11h-22h lun-ven, 16h-22h sam ; 📶 ; 🚋12, 15, 20, 22, 23)

U Modré Kachničky TCHÈQUE €€€

12 ✖ PLAN P. 52, D3

Avec ses recoins éclairés aux bougies, "Au Caneton Bleu", pavillon de chasse chic de style années 1930 dans une petite rue calme, est un endroit agréablement désuet pour un dîner romantique. Les plats traditionnels de Bohême comme le canard rôti farci aux noix et les galettes de pommes de terre sont à l'honneur. Le chevreuil est chaudement recommandé, et il y a quelques options végétariennes. (📞257 320 308 ; umodrekachnicky.cz ; Nebovidská 6 ; plats 500-640 Kč ; ⏰12h-16h et 18h30-23h30 ; 📶 ; 🚋12, 15, 20, 22, 23)

Cukrkávalimonáda INTERNATIONAL €

13 ✖ PLAN P. 52, D2

Ce charmant petit café-restaurant associe un décor moderne minimaliste à des plafonds Renaissance en bois peint. Il propose des pâtes fraîches maison, omelettes, ciabatta, salades et crêpes salées ou sucrées dans la journée, et une carte de bistrot un peu plus élaborée en début de soirée. La formule petit-déjeuner inclut jambon, œuf, croissants, yaourt et un chocolat chaud à se damner. (📞257 225 396 ; cukrkavalimonada.com ; Lázeňská 7 ; plats 150-250 Kč ; ⏰9h-19h ; 🚋12, 15, 20, 22, 23)

U Malého Glena (p. 59)

Vegan's Prague
VÉGÉTALIEN €€

14 PLAN P. 52, C1

Pour les végans venus explorer le château ou Malá Strana, ce restaurant propret, au 1er étage, est une aubaine. Sous de lourdes poutres Renaissance, régalez-vous de currys, burgers végétariens, chaussons aux fruits et spécialités tchèques revisitées sans produit laitier ni viande. Grand choix de thés, jus et cafés bios. La minuscule terrasse avec une unique table jouit d'une vue fabuleuse sur le château, mais les candidats sont nombreux. (735 171 313 ; vegansprague.cz ; Nerudova 36 ; plats 239-279 Kč ; 11h30-21h30 ; 12, 15, 20, 22, 23)

Hergetova Cihelná
INTERNATIONAL €€€

15 PLAN P. 52, E1

La terrasse de ce restaurant aménagé dans une ancienne usine de briques (*cihelná*) du XVIIIe siècle jouit d'un emplacement exceptionnel, avec vue imprenable sur le pont Charles et les quais de la Vieille Ville (idéal par beau temps). Le menu va des *fish and chips* au gibier tchèque en passant par le risotto d'épeautre et l'escalope de veau panée. Les desserts sont bien au-dessus de la moyenne. (296 826 103 ; kampagroup.com ; Cihelná 2b ; plats 365-595 Kč, menu déj 185-285 Kč ; 11h30-16h et 18h-minuit ; M Malostranská)

Prendre un verre

Klub Újezd
BAR

16 PLAN P. 52, D4

L'un des nombreux bars "alternatifs" de Prague, réparti sur 3 étages (DJ dans la cave et café à l'étage), décoré de tableaux originaux et de sculptures atypiques en fer forgé. Dans la salle située au niveau de la rue, vous pourrez siroter un verre au-dessous d'un dragon marin. (251 510 873 ; klubujezd.cz ; Újezd 18 ; 14h-4h ; 9, 12, 15, 20, 22, 23)

U Hrocha
BRASSERIE

17 PLAN P. 52, D1

À deux pas de l'ambassade britannique, ce vieux bistrot de Malá Strana n'a guère changé depuis ses débuts, servant toujours son Urquell et ses plats basiques sur de simples bancs en bois. La clientèle se compose d'habitants du quartier, donc vous croiserez peut-être l'ambassadeur. (257 533 389 ; Thunovská 2 ; 12h-23h ; 12, 15, 20, 22, 23)

Sortir

Malostranská Beseda
CONCERTS

18 PLAN P. 52, D1

Adresse légendaire de Prague, ce palais du divertissement se dresse sur 4 étages à Malá Strana, avec un club musical mythique au 2e étage (au programme, des artistes tchèques d'hier et d'aujourd'hui, célèbres ou amateurs). Il y a aussi une galerie d'art discrète au dernier étage, un bar-restaurant au rez-de-chaussée et une vaste brasserie au sous-sol, avec de la bière Urquell et des en-cas. (257 409 123 ; malostranska-beseda.cz ; Malostranské náměstí 21 ; billetterie 17h-21h lun-sam, 17h-20h dim, bar 16h-1h ; 12, 15, 20, 22, 23)

U Malého Glena
MUSIQUE LIVE

19 ⭐ PLAN P. 52, D2

Bar-restaurant animé tenu de longue date par des expatriés américains, le "Petit Glen" programme tous les soirs des groupes de jazz et de blues locaux dans une cave voûtée en pierre surchauffée. Les amateurs peuvent participer au bœuf du dimanche soir (mais il faut être bon !). Le lieu est petit : mieux vaut venir tôt pour non seulement entendre les musiciens mais aussi les voir. (257 531 717 ; malyglen.cz ; Karmelitská 23 ; 10h-2h dim-jeu, 10h-3h ven-sam, concerts à partir de 20h30 ; ; 12, 15, 20, 22, 23)

Shopping

Shakespeare & Sons
LIBRAIRIE

20 🔒 PLAN P. 52, E1

Si ses rayons débordent de littérature en anglais, français et allemand, cette boutique (qui recèle les meilleurs titres

de Prague sur l'histoire de l'Europe de l'Est) n'est pas qu'une simple librairie – c'est un véritable lieu de rencontres littéraires fréquenté par des auteurs et dont le personnel connaît son métier. Salon de lecture. (257 531 894 ; shakes.cz ; U Lužického semináře 10 ; 11h-20h ; 12, 15, 20, 22, 23)

Marionety Truhlář
ARTISANAT

21 🔒 PLAN P. 52, E2

Cette boutique propose des marionnettes traditionnelles venues de plus d'une quarantaine d'ateliers de tout le pays, des kits pour les fabriquer soi-même, des cours sur leur confection et la possibilité de commander une marionnette sur-mesure. (602 689 918 ; marionety.com ; U Lužického semináře 5 ; 10h-19h ; 12, 15, 20, 22, 23)

Artěl
DESIGN

22 🔒 PLAN P. 52, E2

Dans la boutique de la créatrice américaine Karen Feldman, la cristallerie traditionnelle de Bohême rencontre la modernité. Les pièces design en cristal soufflé artisanal côtoient bijoux, céramiques, articles de papeterie et autres objets tchèques actuels ou vintage. (251 554 008 ; artelglass.com ; U Lužickeho semináře 7 ; 10h-20h ; 12, 15, 20, 22, 23)

Promenade à pied 🚶

Balade culturelle à Smíchov

À seulement 2 km au sud du château de Prague, Smíchov s'étire sur la rive gauche de la Vltava et montre un visage très différent de la capitale. Avec sa scène artistique dynamique et ses bars sans prétention, cet ancien quartier industriel offre une authentique tranche de vie tchèque, même si la construction d'immeubles de bureaux modernes et l'arrivée de nouvelles entreprises font lentement évoluer son identité.

Départ Jazz Dock ;
🚊 Arbesovo náměstí

Arrivée MeetFactory ;
🚊 Lihovar

Distance et durée
6,3 km, 2 heures

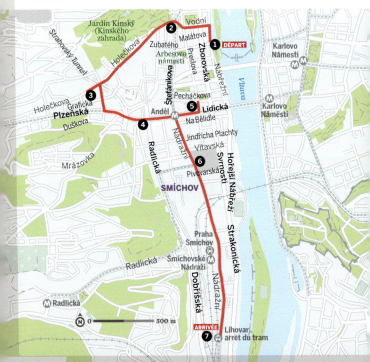

❶ Jazz au bord de l'eau

Le **Jazz Dock** (jazzdock.cz ; Janáčkovo nábřeží 2 ; 200-400 Kč ; ⏱15h-4h lun-jeu, 13h-4h ven-dim avr-sept, 17h-4h lun-jeu, 15h-4h ven-dim oct-mars) installé en bord de rivière, apparaît un cran au-dessus des clubs de jazz typiques de Prague avec sa décoration moderne et sa vue sur la Vltava.

❷ Švandovo Divadlo Na Smíchově

Espace expérimental, ce **théâtre** (svandovodivadlo.cz ; Štefánikova 57 ; billets 250-400 Kč ; ⏱billetterie 14h-20h lun-ven, 2 heures avant le spectacle sam et dim) où sont jouées des pièces tant tchèques qu'internationales s'attache à interpréter des pièces en anglais ou avec surtitrage. Il accueille aussi parfois des concerts et des spectacles de danse.

❸ Art contemporain

La **Futura Gallery** (futuraproject.cz ; Holečkova 49 ; sur don ; ⏱11h-18h mer-dim) s'intéresse à toutes les formes de l'art contemporain : peinture, photographie, sculpture, vidéos, installations... Dans le jardin, vous verrez l'installation *Brownnosers*. (2003) de David Černý : en glissant votre tête dans le derrière d'une statue, vous pourrez voir la vidéo d'un homme nourrissant un autre à la cuillère. Il s'agit d'acteurs portant les masques de l'ancien directeur de la Galerie nationale, Milan Knížák, et de l'ancien président tchèque Václav Klaus.

❹ Cuisine tchèque au Zlatý klas

Restaurant à l'enseigne de la bière Pilsner Urquell, le **Zlatý Klas** (zlatyklas.cz ; Plzeňská 9 ; plats 195-300 Kč ; ⏱11h-23h dim-jeu, 11h30-1h ven-sam) est apprécié pour sa cuisine tchèque roborative et bien préparée à accompagner d'une bière pression.

❺ Danse au "Bulldog"

La bière coule à flots à **Hospoda U Buldoka** (ubuldoka.cz ; Preslova 1 ; ⏱11h-minuit lun-jeu, 11h-1h ven, 15h-minuit sam, 15h-22h dim) où il est de bon ton de se lâcher les cheveux et de danser jusqu'à épuisement.

❻ Brasserie authentique

Pour goûter au charme simple de Smíchov, direction la **Na Verandách** (phnaverandach.cz ; Nádražní 84 ; plats 160-300 Kč ; ⏱11h-24h lun-sam, 11h-23h dim), qui occupe les locaux de la brasserie Staropramen.

❼ Événements à la MeetFactory

La **MeetFactory** (meetfactory.cz ; Ke Sklárně 15 ; entrée libre ; ⏱13h-20h, variable selon les événements), galerie de David Černý, invite des artistes du monde entier à venir créer dans une immense usine désaffectée. L'espace est utilisé pour les expositions, les happenings, les projections et les représentations.

Explorer ◈

Musée juif de Prague et Josefov

Le paisible quartier de Josefov correspond à l'ancien ghetto juif. Durant près de 800 ans, ce fut le centre névralgique de la population juive de la ville, tant d'un point de vue physique que culturel et spirituel. De nombreux juifs quittèrent le quartier lorsqu'il fut rénové au début du XXe siècle et des dizaines de milliers d'autres furent tués lors de l'Holocauste. Les synagogues et le cimetière qui sont demeurés constituent désormais le Musée juif de Prague.

Notre sélection

○ *Vieux Cimetière juif (p. 66)*. L'un des lieux les plus intéressant de Prague, avec des pierres tombales effondrées et gravées d'inscriptions en hébreu.

○ *Synagogue Vieille-Nouvelle (p. 69)*. Associée à une myriade de mythes et légendes, c'est la plus ancienne synagogue encore en activité sur le continent.

○ *Synagogue espagnole (p. 65)*. La plus belle synagogue de Josefov abrite désormais un musée.

○ *Gurmet Pasáž Dlouhá (p. 75)*. Des délices pour les papilles dans une vénérable galerie Art déco.

○ *Musée des Arts décoratifs (p. 69)*. Récemment rénové, l'un des meilleurs musées de Prague se concentre sur le design tchèque.

Comment y aller et circuler

🚊 Lignes 2, 17, 18 jusqu'à Staroměstská ; lignes 6, 8, 15, 26 jusqu'à Dlouhá třída.

Ⓜ Ligne A jusqu'à Staroměstská.

Plan de Josefov et Musée juif de Prague p. 68

Synagogue Maisel (p. 65) CHRISDORNEY/SHUTTERSTOCK ©

Les incontournables
Musée juif de Prague

Comptant parmi les sites les plus visités de la ville, ce musée fut fondé en 1906 pour conserver les objets sacrés du judaïsme après la destruction et la rénovation du quartier à la fin du XIXe et au début du XXe siècle. Les différentes sections du musée sont réparties entre plusieurs synagogues et se concentrent sur la vie et les traditions juives. Le mémorial aux juifs tchèques et moraves tués durant l'Holocauste se trouve dans la synagogue Pinkas.

◎ PLAN P. 68, B3

jewishmuseum.cz
Maiselova 15
Tarif plein/réduit
350/250 Kč, billet couplé
Synagogue Vieille-Nouvelle
500/350 Kč
⊙ 9h-18h dim-ven avr-oct, 9h-16h30 nov-mars
Ⓜ Staroměstská

Synagogue Klaus et salle de cérémonie

La **synagogue Klaus** et la **salle de cérémonie** voisine proposent des expositions sur les traditions sanitaires et funéraires juives qui intéresseront les historiens et les visiteurs pieux.

Synagogue Maisel

La **synagogue Maisel**, de style néogothique (1893-1905), remplace un édifice Renaissance construit en 1592 par Mordechaï Maisel (1528-1601), financier philanthrope et dirigeant de la communauté juive de la ville sous le règne de l'empereur Rodolphe II. À l'intérieur, une exposition retrace l'histoire des juifs de Bohême et de Moravie du Xe au XVIIIe siècle.

Synagogue Pinkas

Cette belle **synagogue**, bâtie en 1535, demeura en activité jusqu'en 1941. Après la Shoah, elle fut convertie en mémorial ; ses murs sont couverts des noms et des dates de naissance et de disparition de 77 297 Tchèques victimes de la barbarie nazie. La synagogue conserve aussi une collection de dessins d'enfants détenus au camp de concentration de Terezín.

Synagogue espagnole

Considérée comme le plus beau bâtiment du musée, cette **synagogue** (photo ci-contre) édifiée en 1868 dévoile un superbe intérieur mauresque. Son exposition raconte l'histoire des juifs dans la République tchèque, de l'émancipation à nos jours. Librairie sur place.

★ À savoir

○ En général, c'est à la synagogue espagnole que les files d'attente pour les billets sont les plus rapides.

○ Visitez le vieux cimetière juif en début ou fin de journée, les moments où l'ambiance est la plus paisible.

○ Les hommes doivent se couvrir la tête avant de pénétrer dans la synagogue Vieille-Nouvelle. Prévoyez un chapeau ou achetez une kippa en papier à l'entrée.

✗ Une petite pause ?

Pour une bonne pinte de bière à proximité de la synagogue espagnole, cap sur le pub **V Kolkovně** (p. 72).

Les incontournables 📷
Vieux Cimetière juif

L'entrée du Vieux Cimetière juif, plus ancien cimetière juif conservé d'Europe, se situe dans la synagogue Pinkas. Fondé au début du XVe siècle, il garde une atmosphère de recueillement malgré deux siècles d'abandon (il fut fermé en 1787). Environ 12 000 stèles se serrent (certaines issues de cimetières disparus), et quelque 100 000 tombes gisent en dessous. Le grand nombre de visiteurs peut perturber le silence.

🎯 PLAN P. 68, B3

jewishmuseum.cz

Synagogue Pinkas, Široká 3

Inclus dans le billet d'entrée du Musée juif

🕒 9h-18h avr-oct, 9h-16h30 nov-mars

Ⓜ Staroměstská

Tombe du rabbin Loew

Judah Loew ben Bezalel (1525-1609), grand rabbin de Bohême, était un érudit respecté, également connu sous le nom de Maharal (acronyme hébreu signifiant "notre enseignant, le rabbin Loew"). Son nom est associé à la légende entourant la création du golem, une créature qu'il aurait façonnée dans l'argile pour protéger le ghetto pragois.

Tombe de Mordechaï Maisel

Ce philanthrope fortuné, haut responsable de la communauté juive de la ville au XVIe siècle, finança la construction de nouveaux édifices dans le ghetto, fit paver les routes et édifier la synagogue Maisel (voir p. 65) et accorda même un prêt à l'empereur Rodolphe II.

Tombe de David Gans

Historien et astronome allemand renommé, David Gans (1541-1613) se rendit notamment à Prague pour assister aux lectures du rabbin Loew et s'installa en ville en 1564. À la demande de l'astronome danois Tycho Brahe (1546-1601), il traduisit en allemand les tables alphonsines (commandées par Alphonse X, roi de Castille à la fin du XIIIe siècle), permettant de calculer la position du Soleil, de la Lune et des planètes.

Tombe de Joseph Solomon Delmedigo

Cet autre grand intellectuel juif (1591-1655), médecin et philosophe, repose aussi au vieux cimetière juif. Il étudia et travailla dans toute l'Europe avant de s'installer à Prague en 1648, où il rédigea divers textes scientifiques.

★ À savoir

○ L'accès au cimetière est compris dans le prix du billet d'entrée au Musée juif.

○ Mieux vaut arriver tôt, car la fréquentation du cimetière augmente au fil des heures.

○ Respectez les lieux : vous êtes dans un cimetière, veillez à ne pas marcher sur les tombes.

✗ Une petite pause ?

L'élégant **Mistral Café** (p. 72) se trouve à peu de distance du cimetière et constitue une bonne adresse pour un café ou un repas léger.

Également à proximité, **U Rudolfina** (☏ 222 328 758 ; Křižovnická 10 ; ⊙ 11h-22h ; Ⓜ Staroměstská), est un pub sans prétention qui sert de bonnes bières, dont la Pilsner Urquell.

Voir

Synagogue Vieille-Nouvelle SYNAGOGUE

1 ⦿ PLAN P. 68, B3

Achevée vers 1270, c'est la plus vieille synagogue d'Europe encore en activité et l'un des premiers édifices gothiques de Prague. Il faut descendre pour y pénétrer, car elle est antérieure au rehaussement de Staré Město, effectué au Moyen Âge pour parer aux inondations. Les hommes doivent avoir la tête couverte (des kippas en papier sont distribuées à l'entrée). Le billet ordinaire du Musée juif de Prague ne comprend pas cette synagogue. Il vous faudra acheter un billet à part, ou prendre le circuit complet.

Un hall d'entrée, une salle de prière d'hiver et la salle réservée aux femmes entourent la salle centrale, où seuls les hommes participent aux offices. L'intérieur, avec une chaire entourée d'une grille en fer forgé du XVe siècle, n'a guère changé depuis 500 ans. Sur les murs, les écritures du XVIIe siècle furent découvertes sous une "restauration" ultérieure. Sur le mur est, les rouleaux de la Torah sont conservés dans l'Arche sacrée. Dans une vitrine au fond de la salle, de petites ampoules sont associées aux noms de défunts éminents et sont éclairées le jour de leur mort. (Staronová synagóga ; 222 749 211 ; jewishmuseum.cz ; Červená 2 ; tarif plein/réduit 200/140 Kč ; 9h-18h dim-ven avr-oct, 9h-17h nov-mars ; 17)

Musée des Arts décoratifs MUSÉE

2 ⦿ PLAN P. 68, A3

Ce musée ouvrit ses portes en 1900 dans le cadre d'un mouvement européen visant à rétablir les valeurs esthétiques, sacrifiées sur l'autel de la révolution industrielle. Après une rénovation à la fin de la dernière décennie, l'institution jadis délicieusement désuète, remplie de verrerie, de mobilier,

---

Le Golem

Les histoires de golems, serviteurs faits d'argile, existent depuis le début du judaïsme. La plus célèbre de ces créatures mythiques aurait été créée par le rabbin Judah Loew à Prague au XVIe siècle, à l'aide de la boue des rives de la Vltava. Pourtant destinée à protéger le ghetto pragois, la créature, livrée à elle-même, fut prise de folie. Le rabbin dut alors retirer le talisman magique qui lui donnait vie. Il transporta le corps inerte dans le grenier de la synagogue Vieille-Nouvelle où, selon certains, il reposerait encore. En 1915, le roman *Le Golem* de Gustav Meyrink popularisa cette légende en Europe.

Circuits sur la culture juive

Spécialiste de la culture juive à Prague, **Wittmann Tours** (☎ 222 252 472 ; wittmann-tours.com ; Novotného lávka 5 ; circuit 1 100 Kč/pers ; ⏱ circuit Josefov 9h30 et 14h dim-ven mi-mars à déc ; 🚋 2, 17, 18) propose un excellent circuit à pied à Josefov (3 heures) et des excursions à Terezín (7 heures, 1 700 Kč/personne), tous les jours de mai à octobre et 4 fois par semaine en avril, novembre et décembre, ainsi que des circuits individuels.

de tapisseries et de vêtements tchèques d'époque, est résolument entrée dans le XXIe siècle. Lors de nos recherches, la collection permanente n'avait pas encore été réaménagée et le bâtiment n'accueillait que des expositions. (Umělecko-průmyslové muzeum ; ☎ 778 543 901 ; upm.cz ; 17. listopadu 2/2 ; tarif plein/réduit 300/150 Kč ; ⏱ 10h-20h mar, 10h-18h mer-dim ; 🚋 1, 2, 17, 18)

Couvent Sainte-Agnès GALERIE

3 🎯 PLAN P. 68, E1

Dans l'angle nord-est de Staré Město, l'ancien couvent Sainte-Agnès est le plus vieil édifice gothique de Prague. Le 1er étage présente la collection permanente d'art médiéval et début Renaissance de Bohême et d'Europe centrale (1200-1550) de la Galerie nationale, où sont notamment exposés des tableaux d'autels de l'époque gothique et des statues polychromes.

En 1234, le roi přemyslide Venceslas Ier fonda le couvent franciscain de l'ordre des Clarisses et désigna sa sœur Anežka (Agnès) première abbesse. Celle-ci fut béatifiée au XIXe siècle et, fort opportunément, le pape Jean-Paul II la canonisa sous le nom de sainte Agnès de Bohême quelques semaines à peine avant les événements révolutionnaires de novembre 1989.

Au XVIe siècle, le couvent fut confié aux Dominicains, puis laissé à l'abandon après la dissolution des monastères par Joseph II. L'ensemble n'a été restauré que dans les années 1980. Outre les collections d'art et le cloître du XIIIe siècle, on peut visiter l'**église Saint-Sauveur**, de style gothique français, où reposent sainte Agnès et la reine Cunégonde, épouse de Venceslas Ier. C'est dans la plus petite **église Saint-François**, voisine, que repose Venceslas Ier ; des concerts sont donnés dans sa nef en ruine. La galerie est accessible aux fauteuils roulants. Le cloître a un dispositif tactile comprenant 12 moulages de sculptures médiévales assortis d'explications en braille. Les billets sont valables 10 jours. (Umělecko-průmyslové muzeum ; ☎ 778 543 901 ; upm.cz ; 17. listopadu 2/2 ; tarif plein/ 26 ans 500 Kč/gratuit ; ⏱ 10h-19h mar, 10h-18h mer-dim ; 🚋 2, 17, 18)

Rudolfinum ÉDIFICE HISTORIQUE

4 PLAN P. 68, A3

Le Rudolfinum, résidence de l'Orchestre philharmonique tchèque, domine la **place Jan-Palach** (náměstí Jana Palacha ; 17, 18). Cet édifice et le Théâtre national, tous deux conçus par les architectes Josef Schulz et Josef Zítek, sont considérés comme les plus beaux bâtiments néo-Renaissance de Prague. Achevé en 1884, le Rudolfinum fit office de Parlement tchécoslovaque dans l'entre-deux-guerres et de bureaux de l'administration nazie pendant la Seconde Guerre mondiale.

L'imposante salle Dvořák (p. 75), où un grand orgue domine la scène, est l'un des principaux lieux de concerts lors du **festival du Printemps de Prague** (Pražské jaro ; billetterie 277 012 677, programme 257 310 414 ; festival.cz ; mai). La partie nord du complexe abrite la **galerie d'art Rudolfinum** (770 100 767 ; galerierudolfinum.cz ; Alšovo nábřeží 12 ; 10h-18h mar-dim ; Staroměstská). Un café est installé dans la splendeur corinthienne de la salle des Colonnes. (227 059 227 ; rudolfinum.cz ; Alšovo nábřeží 12 ; Staroměstská)

Monument à Franz Kafka SCULPTURE

5 PLAN P. 68, C3

Commandée par l'association pragoise Franz Kafka en 2003, cette étonnante sculpture de Jaroslav Róna, représente un Kafka

Synagogue Vieille-Nouvelle (p. 69)

miniature juché sur les épaules d'un costume géant. Elle s'inspire du récit *Description d'un combat*, où l'auteur explore un paysage imaginaire depuis les épaules d'une "connaissance" (peut-être un autre aspect de sa personnalité). (Angle Vězeňská et Dušní ; Ⓜ Staroměstská)

Se restaurer

Lokál
TCHÈQUE €

6 ⓧ PLAN P. 68, F2

Cette brasserie tchèque typique, au cadre moderne et élégant, et au service efficace, sert une excellente *tankové pivo* (Pilsner Urquell à la pression) et un menu de spécialités de Bohême renouvelé chaque jour. Cette combinaison gagnante – l'endroit est toujours plein – a fait des émules à travers la capitale ces dernières années. (☎ 734 283 874 ; lokal-dlouha.ambi.cz ; Dlouhá 33 ; plats 129-225 Kč ; ⏱ 11h-1h lun-sam, 11h-minuit dim ; 🛜 ; 🚋 6, 8, 15, 26)

Field
TCHÈQUE €€€

7 ⓧ PLAN P. 68, D1

Un restaurant étoilé au Michelin simple et sympathique, où la décoration mêle de façon amusante outils agricoles et chic minimaliste. Le chef crée des plats à base de produits du cru extra, d'herbes fraîches et de fleurs comestibles, présentés de façon esthétique. Réservation au moins deux semaines à l'avance.

(☎ 222 316 999 ; fieldrestaurant.cz ; U Milosrdných 12 ; plats 640-690 Kč, menu dégustation 10 plats 3 600 Kč ; ⏱ 10h-14h30 et 18h-22h30 lun-ven, 12h-15h et 18h-22h30 sam-dim ; 🛜 ; 🚋 17)

V Kolkovně
TCHÈQUE €€

8 ⓧ PLAN P. 68, D3

La brasserie Pilsner Urquell dirige cette version moderne et élégante du bistrot pragois traditionnel, avec une déco conçue par des designers tchèques et des interprétations raffinées de classiques tchèques comme le goulasch, le canard rôti et l'aloyau de bœuf, ainsi que quelques intrus comme le saumon et les côtelettes d'agneau. Accompagnez le tout de l'indétrônable bière Urquell. (☎ 224 819 701 ; vkolkovne.cz ; V Kolkovně 8 ; plats 295-695 Kč ; ⏱ 11h-minuit ; 🛜 ; Ⓜ Staroměstská)

Mistral Café
BISTROT €

9 ⓧ PLAN P. 68, A4

Sans doute le bistrot le plus sympathique de la Vieille Ville, où les clients viennent déguster des plats bien préparés dans un cadre moderne et impeccable. Des options inhabituelles comme le *fish and chips*, les *linguine* au fromage de chèvre et le tofu en font une adresse intéressante, à privilégier pour un petit-déjeuner ou un déjeuner. (☎ 222 317 737 ; mistralcafe.cz ; Valentinská 11 ; plats 80-290 Kč ; ⏱ 8h-23h lun-ven, 9h-23h sam-dim ; 🛜 🚼 ; Ⓜ Staroměstská)

Les juifs de Prague

La Bohême et la Moravie furent pendant des siècles des refuges relativement sûrs pour les juifs. Prague, en particulier, devint au Xe siècle un important lieu de vie et de savoir juifs et d'importantes communautés se développèrent ailleurs notamment en Moravie (par exemple à Mikulov et à Třebíč).

La première croisade au début du XIe siècle marqua cependant le début de ses malheurs : la plus ancienne synagogue pragoise partit en fumée. Deux siècles plus tard, Prague comptait l'une des plus importantes communautés d'Europe. Après que Rome eut ordonné que juifs et chrétiens vivent séparément, les juifs de Prague durent s'installer vers le XIIIe siècle dans un ghetto ceint d'un mur dont ils ne pouvaient sortir la nuit. La charge des affaires de la communauté juive incombait à l'empereur et à l'aristocratie.

Si certaines périodes furent marquées par la terreur et les pogroms, leur situation s'améliora sensiblement sous le règne de l'empereur Rodolphe II (règne 1576 à 1612). Des juifs fuyant l'Allemagne, l'Espagne et l'Autriche vinrent grossir les rangs de la communauté locale. L'ouverture d'écoles talmudiques et l'émergence de grandes figures, comme l'astronome David Gans (1541-1613), le financier Mordechaï Maisel (1528-1601) et le rabbin Loew (1525-1609), éminent talmudiste qui s'intéressait aux enseignements mystiques de la kabbale, firent de Prague l'un des phares de la culture ashkénaze en Europe.

En aidant à repousser les Suédois sur le pont Charles en 1648, les juifs gagnèrent les faveurs de l'empereur Habsbourg Ferdinand III, qui fit agrandir le ghetto. Le quartier juif prit le nom de Josefov, en l'honneur de l'empereur Joseph II de Habsbourg dont l'édit de tolérance avait émancipé les juifs pragois en 1781. Mais avec le départ des juifs aisés, le quartier sombra dans la misère. Il fallut cependant attendre 1848 pour que les portes du ghetto soient abattues. Entre 1896 et 1910, les taudis furent rasés et le quartier fut reconstruit dans un style Art nouveau.

La communauté juive fut décimée par les nazis durant la Seconde Guerre mondiale, et seuls quelques milliers de juifs vivent encore à Prague aujourd'hui. Ironie tragique de l'histoire : la majeure partie des collections du musée juif proviennent des *shtetls* (villages juifs) détruits par les nazis. Hitler avait décidé d'apporter tous les objets ici dans l'idée sordide de fonder un "musée de la race éteinte".

Prendre un verre

Bokovka BAR À VINS

10 PLAN P. 68, F2

Fondé par une association d'œnophiles dont les cinéastes Jan Hřebejk et David Ondříček, ce bar pittoresque tire son nom du film *Sideways* (*bokovka*), dont l'action se déroule dans les vignobles de Californie. Il a quitté la Nouvelle Ville, son emplacement d'origine, pour une cave décrépite dans une cour cachée ; repérez l'enseigne représentant une gouttelette de vin rouge et entrez par la porte en face sur la droite. Le top des vins tchèques vous y attend. (731 492 046 ; bokovka.com ; Dlouhá 37 ; 17h-1h lun-ven, 15h-1h dim ; ; 6, 8, 15, 26)

Tretter's New York Bar BAR

11 PLAN P. 68, D3

Ce bar à cocktails rappelle l'ambiance du Manhattan des années 1930 et l'époque des petits remontants bien tassés que l'on buvait avant d'aller se coucher. Cité comme l'un des meilleurs bars de la ville, il attire du beau monde, ce qui va de pair avec les tarifs élevés. Réservez. (224 811 165 ; tretters-bar.cz ; V Kolkovně 3 ; 19h-3h ; ; M Staroměstská)

Kozička BAR

12 PLAN P. 68, D3

Installé en sous-sol depuis des décennies, la "Petite Chèvre" est un bar en brique rouge, décoré de sculptures de chèvre en métal et servant de la Krušovice

Bokovka

à la pression (50 Kč pour 500 ml) ainsi que de la cuisine de pub tchèque un peu chère. Agréable pour profiter tard dans la nuit d'une atmosphère paisible. (☏224 818 308 ; kozicka.cz ; Kozí 1 ; ⏱18h-4h lun-jeu, 18h-5h30 ven-sam, 19h-3h dim ; 🛜 ; Ⓜ Staroměstská)

Sortir

Salle Dvořák   SALLE DE CONCERTS
13 PLAN P. 68, A3

Achevée en 1884, la résidence néo-Renaissance de l'Orchestre philharmonique tchèque (Česká filharmonie ; p. 71) domine la place Jan-Palach. L'imposante **salle Dvořák**, où un grand orgue domine la scène, permet d'entendre les meilleurs musiciens classiques de Prague. (Dvořákova síň ; ☏227 059 227 ; ceskafilharmonie.cz ; Alšovo nábřeží 12 ; ⏱billetterie 10h-18h lun-ven, 10h-15h juil-août ; Ⓜ Staroměstská)

Roxy   MUSIQUE LIVE
14 PLAN P. 68, F2

Installé dans la structure délabrée d'un cinéma Art déco, le légendaire Roxy fait partie depuis 1987 des clubs pragois indépendants les plus novateurs, et accueille la fine fleur des DJ tchèques. Au 1er étage, le NoD est un "espace expérimental" qui présente du théâtre, de la danse, des performances artistiques, des films et des concerts. (☏608 060 745 ; roxy.cz ; Dlouhá 33 ; entrée 150-800 Kč ; ⏱19h-5h ; 🚊6, 8, 15, 26)

Shopping

Gurmet Pasáž Dlouhá   GASTRONOMIE
15 🔒 PLAN P. 68, F2

La scène culinaire de Prague atteint l'apothéose dans cette galerie Art déco assez haut de gamme, dédiée à la bonne chère. Outre des restaurants comme **Naše Maso** (Notre Viande ; ☏222 311 378 ; nasemaso.ambi.cz ; plats 75-195 Kč ; ⏱8h30-22h lun-sam ; 🛜) et **Banh Mi Makers** (☏732 966 621 ; facebook.com/banhmimakers ; Hradební 1 ; plats 80-120 Kč ; ⏱11h-22h lun-ven, 12h-21h sam ; 🛜), vous trouverez des boutiques vendant des vins tchèques, fromages traditionnels, chocolats artisanaux et fruits de mer importés. (Dlouhá 39 ; ⏱9h-22h ; 🚊6, 8, 15, 26)

Klára Nademlýnská   MODE
16 🔒 PLAN P. 68, D3

Célèbre styliste du pays, Klara Nademlýnská s'est formée à Prague et a travaillé presque 10 ans à Paris. Ses vêtements, faciles à porter, se caractérisent par des lignes sobres, et des tissus de qualité. La ligne couvre tout le spectre, des maillots de bain aux robes du soir, en passant par les jeans, bains de soleil, chemisiers colorés et tailleurs à la coupe parfaite. (☏224 818 769 ; klaranademlynska.cz ; Dlouhá 3 ; ⏱10h-19h lun-ven, 10h-18h sam ; Ⓜ Staroměstská)

Explorer

Place de la Vieille Ville et Staré Město

Avec sa belle place médiévale, son dédale d'allées et ses sites étonnants comme l'horloge astronomique, Staré Město (la Vieille Ville) est le cœur battant du centre historique. Son origine remonte au Xe siècle, avec l'apparition d'une place de marché sur la rive est de la Vltava. Un millier d'années plus tard, elle est plus vivante que jamais et, étonnamment, elle n'apparaît que peu changée par le temps.

Notre sélection

○ **Place de la Vieille Ville (p. 78)**. *Le chef-d'œuvre médiéval de Prague.*

○ **Pont Charles (p. 80)**. *Ce pont gothique du XIVe siècle est une véritable galerie à ciel ouvert de sculptures baroques.*

○ **Maison municipale (p. 85)**. *L'un des édifices Art nouveau les plus exubérants d'Europe ; il abrite des restaurants, une salle de concerts et divers salons.*

○ **Horloge astronomique (p. 79)**. *Toutes les heures, ce joyau médiéval offre un spectacle d'automates.*

○ **Théâtre des États (p. 94)**. *Un majestueux théâtre dans lequel Mozart joua la première de Don Giovanni.*

Comment y aller et circuler

🚋 Les lignes 2, 17 et 18 vont jusqu'à Staroměstská ; les lignes 6, 8, 15 et 26 s'arrêtent à Dlouhá třída.

Ⓜ Ligne A jusqu'à Staroměstská (l'arrêt le plus proche de la place de la Vieille Ville) ou ligne A ou B jusqu'à Můstek.

Plan Place de la Vieille Ville et Staré Město p. 84

Place de la Vieille Ville (p. 78) LUCIANO MORTULA - LGM/SHUTTERSTOCK©

Les incontournables
Place de la Vieille Ville et horloge astronomique

Cette place pavée encadrée par des églises baroques, des flèches gothiques, des façades pastel et un palais rococo unit harmonieusement les styles architecturaux. Si l'horloge astronomique, merveille de mécanique toujours en fonctionnement, a plus de 600 ans, bon nombre de bâtiments de la place de la Vieille Ville sont encore plus anciens.

◉ PLAN P. 84, D1

Staroměstské náměstí
Entrée libre
Ⓜ Staroměstská

Horloge astronomique

L'horloge originale (ci-contre) de l'ancien hôtel de ville, datant de 1410, fut améliorée en 1490 par le maître horloger Hanuš, qui réalisa la merveille mécanique que l'on voit aujourd'hui. Toutes les heures (de 9h à 21h), la foule se rassemble pour assister à sa petite mise en scène.

Tour de l'ancien hôtel de ville

Grimpez en haut du **carillon** de l'ancien hôtel de ville (Věž radnice ; prague.eu ; adulte/enfant 250/150 Kč ; ⏱9h-22h mar-dim, 11h-22h lun) pour admirer la vue sur la place et le centre historique.

Statue de Jan Hus

Près du centre de la place, la statue de Ladislav Šaloun (1870-1946) représentant Jan Hus fut inaugurée le 6 juillet 1915, pour le 500e anniversaire de sa mort.

Église Notre-Dame-de-Týn

Avec ses deux flèches gothiques caractéristiques, difficile de manquer **Notre-Dame-de-Týn** (Kostel Panny Marie před Týnem ; ☎222 318 186 ; tyn.cz ; don suggéré 25 Kč ; ⏱10h-13h et 15h-17h lun-sam, 10h-12h dim mars-déc, horaires réduits en janv-fév), édifiée du XIVe au XVe siècle. Si le gothique prédomine à l'extérieur, l'intérieur privilégie le style baroque. Elle abrite la tombe de Tycho Brahe.

Église Saint-Nicolas

Ce joli **monastère** (Kostel sv Mikuláše ; svmikulas.cz ; entrée libre ; ⏱10h-16h lun-sam, 12h-16h dim) baroque est relativement récent : achevé en 1735, il a remplacé une église gothique datant de la fin du XIIIe siècle. Il accueille désormais l'église hussite tchèque et ser l de salle de concerts.

★ À savoir

○ Pour avoir une meilleure vue sur l'horloge astronomique, mieux vaut venir quelques minutes avant qu'elle ne sonne 9h ou 10h.

○ La tour dispose d'un ascenseur.

○ À Pâques et à Noël notamment, la place de la Vieille Ville accueille des stands d'alimentation et d'artisanat.

○ À la nuit tombée, les façades de la place sont éclairées. Romantique !

✕ Une petite pause ?

Un repas sain vous attend au restaurant végétarien **Maitrea** (p. 91), à quelques pas de la place. Vous trouverez aussi d'innombrables cafés touristiques sur la place elle-même.

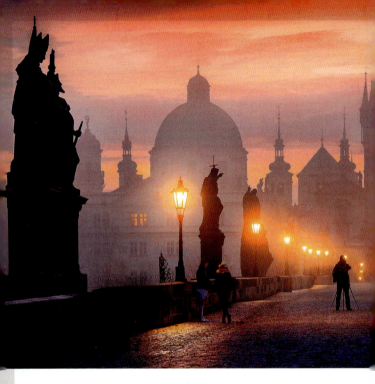

Les incontournables
Pont Charles

Commandé en 1357 par Charles IV, ce monument emblématique de Prague, long d'environ 520 m, a été jusqu'au XIXe siècle le seul lien entre le château de Prague et la Vieille Ville, séparés par la Vltava. Il est particulièrement fascinant à l'aube, en hiver, quand les visiteurs sont bien moins nombreux.

🎯 PLAN P. 84, A2

Karlův most

🕐 24h/24

🚋 2, 13, 14, 17, 18 jusqu'à Karlovy lázně, 1, 5, 7, 12, 15, 20, 22, 25 jusqu'à Malostranské náměstí

Point de vue sur la Vieille Ville

Construite à la fin du XIVe siècle à l'extrémité est du pont Charles, l'élégante **tour du pont de la Vieille Ville** (Staroměstská mostecká věž ; muzeumprahy.cz ; tarif plein/réduit 150/100 Kč ; 10h-22h avr-sept, 10h-20h mars et oct, 10h-18h nov-fév) était destinée non seulement à servir de fortification, mais aussi à marquer l'entrée de la Vieille Ville, à la manière d'un arc de triomphe. Son sommet offre une belle vue sur le pont.

Statues religieuses

Le crucifix érigé en 1657 près de l'extrémité est fut la première sculpture à orner le pont, suivie en 1683 d'une statue de saint Jean Népomucène, hommage des Jésuites, qui inspira d'autres commandes de la part d'ordres religieux sur une période de trente ans. Aujourd'hui, la plupart sont des copies, mais certaines statues d'origine sont visibles à la porte en brique et aux casemates de la forteresse de Vyšehrad.

Statue de saint Jean Népomucène

La statue la plus célèbre est celle de saint Jean Népomucène, le saint patron de la Bohême, que Venceslas IV fit jeter du haut du pont en 1393 car il refusait de lui divulguer les propos tenus par la reine en confession – la lutte opposant l'Église à l'État constituerait en fait le véritable motif de cet assassinat. Frotter la plaque en bronze fixée sur le socle porterait bonheur.

Musée du pont Charles

Découvrez toutes les vicissitudes que le pont a connues au **musée du pont Charles** (Muzeum Karlova Mostu ; charlesbridgemuseum. com ; Křížovnické náměstí 3 ; tarif plein/réduit 170/70 Kč ; 10h-18h), près de l'entrée du pont, côté Vieille Ville. Vous serez presque surpris qu'il tienne encore debout !

★ À savoir

○ Traversez le pont de bon matin pour éviter la foule.

○ Faites attention à vos effets personnels. Des pickpockets officient sur le pont, surtout l'été.

○ Prévoyez de traverser le pont au moins deux fois, en direction du château et en sens inverse.

○ Le lever du jour est le meilleur moment pour les photos. L'hiver, le pont sous la neige fera des clichés mémorables.

✗ Une petite pause ?

Non loin de l'accès au pont côté Vieille Ville, le café pour étudiants **Café Kampus** (p. 93) est sympathique pour se détendre autour d'un verre ou d'un café.

Offrez-vous un repas gastronomique accompagné de vin tchèque au **V Zátiší** (p. 90), côté Vieille Ville.

Promenade à pied

Le Prague de Kafka

"Toute ma vie est inscrite dans ce petit cercle", affirma un jour Franz Kafka (1883-1924) en se référant à la Vieille Ville de Prague. Certes il exagérait un peu (il voyagea et mourut à l'étranger), mais Prague est un personnage omniprésent et silencieux dans l'écriture de Kafka, et cette promenade dans la Vieille Ville passe par des lieux où il avait ses habitudes.

Départ Náměstí Republiky ;
Ⓜ Náměstí Republiky

Arrivée Hotel Intercontinental ;
Ⓜ Staroměstská

Distance et durée
2 km, 40 minutes

❶ Compagnie d'assurances contre les accidents du travail

L'œuvre de Kafka se nourrit de son activité d'employé de bureau – il travailla pendant 14 ans (1908-1922) à la **Compagnie d'assurances contre les accidents du travail** au n°7 de Na poříčí. Lors de son trajet quotidien, il passait devant la **tour Poudrière** (p. 86) et la **Maison municipale** (p. 85), qui venait d'être construite.

❷ Maison des Trois Rois

De 1896 à 1907, les Kafka habitèrent la **maison des Trois Rois**, au n°3 de Celetná, juste avant la place de la Vieille-Ville. Franz écrivit sa première histoire dans sa chambre, qui surplombait l'**église Notre-Dame-de-Týn** (p. 79).

❸ Sixième maison

En 1888-1889, Kafka vécut de l'autre côté de Celetná, dans la **Sixième maison**. Non loin, au n°17 de Staroměstské náměstí, dans la maison **à la Licorne** (U Jednorožce), Berta Fanta organisait des salons littéraires pour les penseurs de l'époque, entre autres Kafka et Einstein.

❹ Maison de la Minute

Il habita en 1889-1896 la **maison de la Minute** (dům U minuty), l'édifice Renaissance qui jouxte l'ancien hôtel de ville. Il se rappela plus tard avoir été traîné jusqu'à son école dans la rue Masná par le cuisinier de la famille.

❺ Lieu de naissance de Kafka

À l'ouest de l'**église Saint-Nicolas** (p. 79), le **lieu de naissance de Kafka** est marqué par un buste, au n°3 de náměstí Franze Kafky (anciennement U Radnice 5). De la maison d'origine, il reste uniquement le portail en pierre.

❻ Chambre d'étudiant de Kafka

Malgré plusieurs histoires d'amour marquantes, Kafka ne se maria jamais et vécut surtout avec ses parents. L'une des rares **chambres d'étudiant** qu'il loua se situe au n°16 de Dlouhá.

❼ Appartement Bílkova

Plus loin au nord après le **monument à Franz Kafka** (p. 71), au n°22 de Bílkova, vous découvrirez un autre **appartement** que Kafka occupa un temps. Il y écrivit les premières pages du *Procès* en 1914.

❽ Hotel Intercontinental

Dirigez-vous vers l'ouest jusqu'à Pařížská et vers le nord en direction de la rivière. Dans les jardins de l'**Hotel Intercontinental** se trouvait jadis un autre appartement de la famille Kafka (1907-1913), où Franz écrivit sa nouvelle œdipienne *Le Jugement* (1912) et commença *La Métamorphose*, l'histoire d'un homme mué en insecte géant.

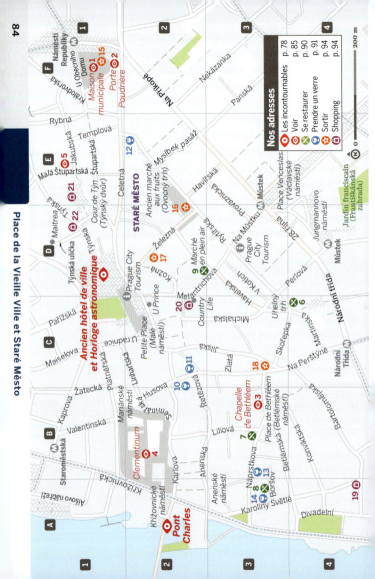

Voir

Maison municipale ÉDIFICE HISTORIQUE

1 PLAN P. 84, F1

L'édifice Art nouveau le plus exubérant de Prague est une œuvre d'art où chaque peinture et chaque sculpture est chargée de symboles. Le **restaurant** (222 002 770 ; francouzskarestaurace.cz ; Náměstí Republiky 5 ; plats 425-735 Kč ; 12h-23h ; Náměstí Republiky) et le café (p. 93) ressemblent eux-mêmes à des musées Art nouveau. L'étage abrite une demi-douzaine de salles somptueusement décorées, que l'on peut admirer lors de visites guidées. On peut admirer librement le hall d'entrée et le bar du rez-de-chaussée, ou réserver une visite guidée au centre d'information.

La Maison municipale se tient sur le site de la Cour royale où les souverains de Bohême résidèrent de 1383 à 1483 (date à laquelle Vladislav II s'installa au château de Prague), et qui fut démolie à la fin du XIXe siècle. À la place, ce magnifique édifice Art nouveau fut construit entre 1906 et 1912 ; fruit du travail passionné d'une trentaine de grands artistes de l'époque, ce centre culturel incarnait l'apogée architecturale de la Renaissance nationale tchèque. La mosaïque surmontant l'entrée, **Hommage à Prague**, est encadrée de sculptures représentant l'oppression et la renaissance du peuple tchèque. D'autres sculptures alignées en haut de la façade représentent l'histoire, la littérature, la peinture, la musique et l'architecture. Vous passerez sous une canopée en fer forgé et vitraux pour atteindre l'intérieur, de style Art nouveau du sol aux poignées de porte. La première pause de la visite guidée est la salle Smetana (p. 94), la plus grande salle de concerts de Prague, avec 1 200 fauteuils sous une coupole vitrée Art nouveau. La scène est flanquée de sculptures représentant la légende de Vyšehrad (à droite) et des danses slaves (à gauche). Le 28 octobre 1918, l'indépendance de la République tchécoslovaque fut déclarée dans la salle Smetana, et en novembre 1989, des réunions entre le Forum civique et le régime de Jakeš s'y déroulèrent. Le festival de musique du Printemps de Prague (p. 71) débute toujours

---

Vue imprenable sur la place de la Vieille-Ville

Certes, la cuisine de l'**Hotel U Prince** (plan p. 84, C2 ; 737 261 842 ; hoteluprince.com ; Staroměstské náměstí 29 ; plats 269-649 Kč ; 11h-23h30 ; Můstek) n'a rien d'exceptionnel. Mais quelle vue sur la place de la Vieille Ville ! Prenez l'ascenseur jusqu'en haut, puis montez les marches pour rejoindre la terrasse sur le toit.

Les mésaventures de Tycho Brahe

Enterré à Notre-Dame-de-Týn (p. 79), Tycho Brahe (1546-1601) était un sacré personnage. Ce père danois de l'astronomie moderne identifia des milliers d'étoiles, effectua des observations étonnamment précises avant l'invention du télescope, et aida son assistant Johannes Kepler à établir les lois du mouvement planétaire.

Il arriva à Prague en 1599 en tant que mathématicien officiel de Rodolphe II. Cependant, Brahe pratiquait aussi un peu d'astrologie et d'alchimie. Il perdit un bout de nez dans un duel et porta un postiche en métal. Il possédait également un élan domestique qui, après avoir apparemment bu trop de bière, dévala les escaliers et mourut.

Brahe décéda à Prague en 1601. Il serait mort des suites d'une cystite parce qu'il aurait été trop poli pour aller aux toilettes durant un long banquet. Ce n'est que récemment que les historiens ont émis l'hypothèse d'un empoisonnement. Le mystère reste cependant entier.

---

le 12 mai, jour de la mort du compositeur tchèque Smetana, avec une parade entre Vyšehrad et la Maison municipale, suivie d'une représentation de son cycle symphonique *Má vlast* (Mon Pays) dans la salle Smetana. La visite se poursuit avec plusieurs **appartements officiels** très impressionnants. Le point d'orgue est la **salle du Bourgmestre** (Primatorský sál), de forme octogonale, dont les fenêtres surplombent l'entrée principale. Tous les détails de sa décoration furent imaginés par Alfons Mucha, qui peignit aussi les fresques sublimes des murs et du plafond. (Obecní dům ; ☎222 002 101 ; obecnidum.cz ; náměstí Republiky 5 ; visite guidée tarif plein/réduit/-10 ans 290/240 Kč/gratuit ; ⊙10h-20h ; Ⓜ Náměstí Republiky)

Porte Poudrière TOUR

L'édification de la Porte Poudrière, haute de 65 m, débuta en 1475 sur l'emplacement de l'une des 13 portes originelles de Staré Město. Elle resta inachevée jusqu'à ce que le grand architecte néogothique Jozef Mocker apporte sa touche finale en 1886. Son nom vient de sa fonction de dépôt de poudre à canon au XVIIIe siècle. L'intérieur gothique abrite seulement quelques panneaux d'information sur la construction de la tour. Son principal atout est le panorama dont on jouit depuis le sommet. (Prašná brána ; ☎725 847 875 ; prague.eu/fr/les-tours-de-prague ; Na příkopě ; tarif plein/réduit 150/100 Kč ; ⊙10h-22h avr-sept, 10h-20h oct et mars, 10h-18h nov-fév ; Ⓜ Náměstí Republiky)

Chapelle de Bethléem ÉGLISE

3 PLAN P. 84, B3

C'est dans ce petit lieu de culte que naquit la cause hussite. En 1391, des Pragois réformistes obtinrent la permission de bâtir une chapelle privée où ils pourraient célébrer la messe en tchèque plutôt qu'en latin. Jan Hus y prêcha de 1402 à 1412, initiant un mouvement réformateur de l'église depuis le sanctuaire du Carolinum (dont il était le recteur). Une cérémonie est organisée tous les 5 juillet, la veille de l'anniversaire de sa mort sur le bûcher en 1415. (Betlémská kaple ; 224 248 595 ; bethlehemchapel.eu ; Betlémské náměstí 4 ; adulte/enfant 60/30 Kč ; 9h-18h30 ; 2, 13, 14, 17, 18)

Clementinum ÉDIFICE HISTORIQUE

4 PLAN P. 84, B2

Le Clementinum est un vaste ensemble de belles salles de style baroque et rococo, désormais occupées par la Bibliothèque nationale tchèque. La plupart des bâtiments sont fermés au public, mais vous pourrez accéder aux cours ou participer à une **visite guidée** (50 minutes) incluant la bibliothèque baroque, la salle du Méridien, la tour astronomique, ainsi que la chapelle des Miroirs.

Quand Ferdinand Ier invita les Jésuites à Prague en 1556 pour renforcer le pouvoir de l'Église catholique en Bohême, ils choisirent l'un des plus beaux emplacements de la cité et édifièrent, en 1587, l'**église**

Maison municipale (p. 85)

Le spectacle de l'horloge astronomique

Toutes les heures (de 9h à 21h), une foule se masse au pied de la tour de l'ancien hôtel de ville pour admirer l'horloge astronomique à l'œuvre. Outre son histoire, son ingéniosité et sa photogénie, elle cache des symboles. Quatre automates ornent la partie supérieure, allégories qui représentent certains péchés capitaux ou les grandes craintes de la société pragoise du XVe siècle : la **Vanité** (avec un miroir), l'**Avarice** (avec une bourse), la **Mort** (le squelette) et la **Volupté** (représentée par un prince turc). Les quatre personnages en dessous sont le Chroniqueur, l'Ange, l'Astronome et le Philosophe. À chaque heure, la Mort sonne le glas de la précédente et retourne son sablier, tandis que les 12 apôtres défilent devant les fenêtres au-dessus des cadrans en saluant la foule. Sur la gauche se tiennent **Paul** (attributs : épée et livre), **Thomas** (lance), **Jude** (livre), **Simon** (scie), **Barthélemy** (livre) et **Barnabé** (parchemin) ; sur la droite, **Pierre** (clé), **Matthieu** (hache), **Jean** (serpent), **André** (croix), **Philippe** (croix) et **Jacques** (bâton). Enfin, un coq chante et l'horloge sonne l'heure.

Saint-Sauveur (kostel Nejsvětějšího Spasitele ; farnostsalvator.cz ; Křížovnické náměstí ; ⏱ouvert lors des offices), emblème de la Contre-Réforme de Prague. Sa façade ouest fait face au pont Charles, et ses statues noircies dominent les embouteillages de Křížovnické náměstí, en contrebas. Après avoir progressivement acheté la plupart des édifices du quartier, les Jésuites bâtirent leur collège, le Clementinum, en 1653. Une fois achevé, un siècle plus tard, c'était le plus vaste édifice de la ville après le château de Prague. Après la disgrâce des Jésuites en 1773, le collège fut rattaché à l'université Charles. La **bibliothèque baroque** (1727), ornée d'une fresque représentant le Temple de la Sagesse, conserve des milliers d'ouvrages théologiques remontant à 1600. La **salle du Méridien** servait à déterminer midi pile grâce à un trou dans le mur par lequel un rayon de soleil vient toucher un fil sur le sol. Datant également des années 1720, la **tour astronomique**, haute de 68 m, est coiffée d'une énorme statue d'Atlas en bronze et servit d'observatoire jusque dans les années 1930 ; elle présente une collection d'instruments astronomiques du XVIIIe siècle. En tant que station météorologique de Prague, des mesures y sont effectuées sans interruption depuis 1775. La **chapelle des Miroirs** (Zrcadlová kaple) date aussi des années 1720 et arbore une profusion d'ornementations : stucs dorés, colonnes en marbre, fresques flamboyantes et miroirs au plafond. Des concerts de musique classique y sont organisés chaque jour. Le Clementinum a deux autres églises notables. L'**église Saint-Clément** (kostel sv Klimenta ; Karlova ; messe 8h30 et 10h dim), somptueusement redécorée dans le style baroque de 1711 à 1715 selon des plans de Kilian Dientzenhofer, est désormais une chapelle grecque catholique. Il convient d'être vêtu décemment pour assister aux offices. La **chapelle de l'Assomption-de-la-Vierge**, ovale, fut construite en 1600 pour les artisans italiens qui travaillaient au Clementinum. (222 220 879 ; klementinum.com ; entrées dans Křížovnická, Karlova et Mariánské náměstí ; visite guidée tarif plein/réduit 300/200 Kč ; 10h-18h ; Staroměstská ; 2, 17, 18)

Église Saint-Jacques ÉGLISE

5 PLAN P. 84, E1

Cette église gothique fut le sanctuaire d'un couvent franciscain au XIVe siècle, avant d'être remaniée dans le style baroque au XVIIIe siècle. La façade présente trois bas-reliefs d'Ottavio Mosto. Parmi les ors et les stucs figure une relique : un bras desséché qui pend sur le mur ouest (levez les yeux vers la droite en entrant). D'après la légende, un voleur tenta de dérober les joyaux de la statue de la Vierge vers l'an 1400, mais celle-ci saisit son poignet avec tant de vigueur qu'il fallut lui couper le bras.

Église Saint-Sauveur

(Kostel sv Jakuba ; praha.minorite.cz ; Malá Štupartská 6 ; ⏰9h30-12h et 14h-16h mar-sam, 14h-16h dim ; MNáměstí Republiky

Se restaurer

U Dvou koček   TCHÈQUE €€
6 ✗ PLAN P. 84, C4

Institution pragoise, cette brasserie et microbrasserie traditionnelle installée sous les arcades de la place du Marché au charbon (Uhelný trh) est depuis toujours incontournable. L'Urquell à la pression est bonne, mais la lager maison du restaurant, la Kočka, s'accorde mieux avec la cuisine bohémienne de la carte. Tous les Tchèques connaissent le lieu, à l'honneur dans *Vrchní prchni !* un célèbre film des années 1980. (📞224 229 982 ; udvoukocek.cz ; Uhelný trh 10 ; plats 199-399 Kč ; ⏰11h-23h ; 📶 ; MMůstek)

V Zátiší   TCHÈQUE €€€
7 ✗ PLAN P. 84, B3

Figurant parmi les meilleures tables de Prague, le "Nature Morte" est réputé pour la qualité de sa cuisine. Le cadre est moderne et audacieux, avec une vaisselle originale, des papiers peints aux motifs osés et des chaises en panne de velours couleur cappuccino. La carte mêle cuisine indienne haut de gamme et plats tchèques revisités – l'oie de Bohême du Sud et sa sauce aux prunes est fabuleuse.

Lehká Hlava

(📞222 221 155 ; vzatisi.cz ; Liliová 1 ; plats 595-745 Kč ; ⏰12h-15h et 17h30-23h ; 📶 ; 🚋2, 13, 14, 17, 18)

Lehká Hlava   VÉGÉTARIEN €€
8 ✗ PLAN P. 84, A3

Niché au bout d'un étroit cul-de-sac, la "tête claire" est un monde à part. Les deux salles à manger à la décoration exotique sont empreintes d'une ambiance vaguement psychédélique – les tables éclairées de l'intérieur sont piquetées de boules de verre lumineuses ou dotées d'un effet luminescent. En cuisine, on mise sur des plats végétariens. (📞222 220 665 ; lehkahlava.cz ; Boršov 2 ; plats 255-295 Kč ; ⏰11h30-23h30 lun-ven, 12h-23h30 sam-dim ; 🍴👥 ; 🚋2, 17, 18)

Havelská Koruna CAFÉTÉRIA €

9 PLAN P. 84, D2

Pour goûter à la nourriture slave de cantine scolaire que la plupart des Tchèques mangent quotidiennement, rendez-vous dans cette cafétéria au nord de Můstek. Prenez un *konzumační lístek* ("bon de consommation") à l'entrée et dirigez-vous vers les comptoirs où des dames vous serviront différentes spécialités bohémiennes et moraves. Installez-vous ensuite aux tables communes et payez à la sortie : si vous ne voulez pas de problème, ne perdez pas le formulaire ! Le choix de boissons est limité (pas de café), il y a un comptoir spécifique pour les plats sucrés et la clientèle va des touristes téméraires aux employés de bureau affamés. (224 239 331 ; havelska-koruna.cz ; Havelská 21 ; plats 50-150 Kč ; 10h-20h ; Můstek)

Prendre un verre

U Zlatého Tygra PUB

10 PLAN P. 84, C2

Installé dans une maison du XIVe siècle et bistrot favori du romancier Bohumil Hrabal, le "Tigre doré" est l'un des rares bars de la Vieille Ville à avoir conservé son âme et ses prix raisonnables (Pilsner Urquell 48 Kč, 45 cl), malgré sa proximité avec la place de la Vieille-Ville. C'est l'un des premiers pubs de Prague, mais il attire peu de touristes. C'est là que le président Václav Havel emmena Bill Clinton en 1994 pour lui faire découvrir un authentique pub tchèque. (222 221 111 ; uzlatehotygra.cz ; Husova 17 ; 15h-23h ; ; Staroměstská)

Restaurants végétariens de Staré Město

La Vieille Ville de Prague compte quelques bons restaurants végétariens. Nos préférés :

Country Life (plan p. 84, C2 ; 224 213 366 ; countrylife.cz ; Melantrichova 15 ; 33-39 Kč/100 g ; 10h30-19h30 lun-jeu, 10h30-15h30 ven, 12h-18h dim ; ; Můstek). Cafétéria végétalienne qui propose des salades, du goulasch sans viande, des burgers aux graines de tournesol et des boissons au soja à prix doux.

Lehká Hlava Le "Tête Claire" (ci-contre) est déjà un univers en soi, avec ses deux salles à manger vaguement psychédéliques.

Maitrea (plan p. 84, D1 ; 774 422 226 ; restaurace-maitrea.cz ; Týnská ulička 6 ; plats 235-270 Kč ; 11h30-23h30 lun-ven, 12h-23h30 sam-dim ; ; Staroměstská). Un espace magnifiquement aménagé aux plats végétariens inventifs.

Prague littéraire

Prague est l'une des grandes capitales littéraires. Les noms de Franz Kafka et de Milan Kundera sont familiers de nombreux lecteurs, mais les racines littéraires de Prague sont plus profondes encore, et il n'est pas étonnant que le premier président de l'ère postcommuniste, Václav Havel, eût été un dramaturge. La capitale tchèque fut aussi autrefois un foyer de la littérature allemande.

Les grands noms de la littérature tchèque

Outre Milan Kundera (né en 1929), Prague a été le lieu de résidence du fabuleux conteur Bohumil Hrabal (1914-1997), dont de nombreux titres ont été traduits en français. Le film adapté de son roman *Des trains étroitement surveillés* a remporté l'Oscar du meilleur film étranger en 1968. Autre grand nom, Jaroslav Hašek (1883-1923) a notamment écrit *Le Brave Soldat Chvéïk*, d'une véritable fulgurance comique. Le poète tchèque Jaroslav Seifert (1901- 1986) a remporté le prix Nobel de poésie en 1984.

Les auteurs germanophones

Aux XIXe et XXe siècles, Prague était le centre de la littérature allemande. Kafka (1883-1924), écrivain juif germanophone, en reste la référence incontestée : ses romans, comme *Le Procès* ou *Le Château*, sont devenus des classiques. Mais Prague était également la ville de résidence de l'ami et éditeur de Kafka, Max Brod (1884-1968), ainsi que d'autres écrivains comme Egon Erwin Kisch (1885-1948) et Franz Werfel (1890-1945). Citons aussi Rainer Maria Rilke (1875-1926), l'un des plus célèbres poètes germanophones, qui naquit et étudia à Prague.

Nouvelles voix

L'époque moderne ne manque pas d'auteurs tchèques de talent : Jáchym Topol (né en 1962), Petra Hůlová (1979), Michal Viewegh (1962), Michal Ajvaz (1949), Emil Hakl (1958) et Miloš Urban (1967) prennent progressivement place parmi les plus grands auteurs du pays, poussant vers la sortie les figures de l'ancienne garde comme Kundera, aujourd'hui perçus comme les chroniqueurs d'une époque entièrement différente, postsoviétique. Encore récemment, peu d'entre eux avaient été traduits en français, mais la donne change progressivement. Citons notamment *Les Sept Églises* de Miloš Urban (Au Diable Vauvert, 2011), *Les Montagnes rouges* de Petra Hůlová (Éditions de l'Olivier, 2005) ou *L'Atelier du Diable* de Jáchym Topol (Noir sur Blanc, 2012).

U Tří Růží

BRASSERIE

11 PLAN P. 84, C2

Alors que l'on recensait plus de 20 brasseries dans la Vieille Ville au XIXe siècle, il n'en restait plus qu'une seule en 1989 (U Medvidku). Installée à l'emplacement de l'une de ces anciennes brasseries, la microbrasserie des "trois roses" fait revivre la tradition avec pas moins de six bières à la pression, dont une délicieuse *světlý ležák* (pale lager ; 56 Kč, 40 cl). Cadre agréable et cuisine très correcte. (601 588 281 ; u3r.cz ; Husova 10 ; 11h-23h dim-jeu, 11h-minuit ven et sam ; M Staroměstská)

Kavárna Obecní Dům

CAFÉ

Le spectaculaire café (voir **15** Plan p. 84, F1) de l'opulente **Maison municipale** (p. 85) donne l'occasion de siroter un cappuccino dans une débauche de splendeur Art nouveau. Le lieu est réputé pour sa décoration d'origine mais aussi pour ses fabuleux gâteaux à la viennoise. (222 002 763 ; kavarnaod.cz ; náměstí Republiky 5 ; 8h-23h ; M Náměstí Republiky)

Grand Café Orient

CAFÉ

12 PLAN P. 84, E2

On peut bien sûr manger sur place, mais la plupart des clients prennent un verre dans le seul café cubiste de Prague uniquement pour admirer son style unique qui s'affiche partout, des petites cuillères aux luminaires. Imaginé par Josef Gočár en 1912, l'Orient a été restauré et a rouvert en 2005 : il était fermé depuis 1920. Café correct et cocktails bon marché. (224 224 240 ; grandcafeorient.cz ; Ovocný trh 19 ; 9h-22h lun-ven, 10h-22h sam-dim ; M Náměstí Republiky)

Café Kampus

CAFÉ

13 PLAN P. 84, B3

Très prisé des étudiants de l'université Charles, ce café décontracté se double d'une galerie d'art et accueille des événements culturels (conférences, lectures et concerts). On y trouve des journaux et des livres tchèques à feuilleter, ainsi qu'une sélection d'excellents thés et cafés. (775 755 143 ; cafekampus.cz ; Náprstkova 10 ; 10h-1h lun-ven, 12h-1h sam, 12h-23h dim ; 2, 13, 14, 17, 18)

Hemingway Bar

BAR À COCKTAILS

14 PLAN P. 84, A3

Repaire douillet et sophistiqué, le Hemingway possède une arrière-salle aux allures de bibliothèque, ainsi qu'un éclairage aux chandelles. L'établissement affiche un choix impressionnant d'alcools de qualité (notamment du rhum), de cocktails de premier ordre et de champagne. Barmen courtois et professionnels. (773 974 764 ; hemingwaybar.eu ; Karolíny Světlé 26 ; 17h-1h lun-jeu, 17h-2h ven, 19h-2h sam, 19h-1h dim ; 2, 17, 18)

Sortir

Salle Smetana
MUSIQUE CLASSIQUE

15 ⭐ PLAN P. 84, F1

Fleuron de la superbe Maison municipale (p. 85), la plus grande salle de concerts pragoise peut accueillir sous son dôme vitré Art nouveau jusqu'à 1 200 spectateurs. Des sculptures représentent la légende de Vyšehrad et des danses slaves encadrent la scène. Siège de l'Orchestre symphonique de Prague (Symfonický orchestr hlavního města Prahy), elle programme aussi des spectacles. (Smetanova síň ; 📞770 621 580 ; obecnidum.cz ; náměstí Republiky 5 ; 🕐billetterie 10h-20h ; 🚇Náměstí Republiky)

Théâtre des États
OPÉRA

16 ⭐ PLAN P. 84, D2

C'est dans ce théâtre, le plus vieux de Prague, que Mozart dirigea la première de Don Giovanni le 29 octobre 1787. Des classiques de l'art lyrique y sont régulièrement programmés, de même que des ballets et des pièces de théâtre. (Stavovské divadlo ; 📞224 901 448 ; narodni-divadlo.cz ; Ovocný trh 1 ; 🕐billetterie 10h-18h ; 🚇Můstek)

AghaRTA Jazz Centrum
JAZZ

17 ⭐ PLAN P. 84, D2

L'AghaRTA, qui programme le meilleur du jazz moderne, du blues, du funk et de la fusion depuis 1991, a déménagé dans cet endroit central de la Vieille Ville en 2004. Outre la typique cave de jazz, avec voûtes en brique rouge, le centre comprend aussi une **boutique** (🕐19h-minuit) qui vend des CD, des T-shirts et des mugs. Outre les musiciens tchèques, le club accueille à l'occasion de grands artistes internationaux. (📞222 211 275 ; agharta.cz ; Železná 16 ; 250 Kč ; 🕐19h-1h, concerts 21h-minuit ; 🚇Můstek)

Jazz Republic
MUSIQUE LIVE

18 ⭐ PLAN P. 84, C3

Ce club à l'ambiance décontractée ne propose pas seulement du jazz, mais aussi rock, blues, reggae, fusion et autres styles musicaux. Les groupes sont locaux pour la plupart et la musique n'est pas trop forte, ce qui permet de tenir une conversation, quitte à provoquer les "chut !" des puristes. (📞221 183 552 ; jazzrepublic.cz ; Jilská 1a ; entrée libre ; 🕐20h, 22h jeu, musique 21h15-minuit ; 🚇Národní Třída)

Shopping

Kavka
LIBRAIRIE

19 🔒 PLAN P. 84, A4

Sans doute la meilleure adresse de Prague pour dénicher des livres sur l'art et la photographie tchèques. Il y a de tout, des beaux livres aux reproductions en petit format, et tous les styles et artistes du pays sont présents. Boutique en ligne et service d'expédition. (📞606 030 202 ; kavkaartbooks.com ; angle Krocínova et Karolíny Světlé ; 🕐11h-19h lun-ven, 12h-17h sam ; 🚊1, 2, 17, 18)

Modernista
ARTICLES POUR LA MAISON

Enseigne de design (voir **15** 🔒 Plan p. 84, F1) spécialisée en reproductions de meubles, céramiques, verreries et bijoux du XXᵉ siècle (Art déco, cubisme, fonctionnalisme, Bauhaus, etc). Le principal showroom de meubles se trouve dans le **Vinohradský Pavilon** (Vinohradská tržnice ; 📞 286 017 701 ; pavilon.cz ; Vinohradská 50, Vinohrady ; 🕙 10h-19h30 lun-ven, 10h-18h sam ; Ⓜ Jiřího z Poděbrad, 🚊 11, 13). Cette enseigne, installée dans le centre d'information de la Maison municipale, met l'accent sur la bijouterie et la céramique – des articles pouvant se glisser dans une valise. (📞 222 002 102 ; modernista.cz ; náměstí Republiky 5 ; 🕙 10h-18h ; Ⓜ Náměstí Republiky)

Manufaktura
ART ET ARTISANAT

20 🔒 PLAN P. 84, C2

Il existe 7 points de vente Manufaktura comme celui-ci dans la capitale (et des dizaines d'une version réduite à travers le pays), mais cette enseigne proche de la place de la Vieille Ville semble maintenir une offre particulièrement attrayante. Vous y trouverez de magnifiques jouets en bois tchèques, un succulent pain d'épices au miel sorti d'un moule médiéval sophistiqué, ou encore des cadeaux de saison comme des œufs de Pâques peints à la main. (📞 601 310 611 ; manufaktura.cz ; Melantrichova 17 ; 🕙 10h-20h ; Ⓜ Můstek)

Botanicus
COSMÉTIQUES

21 🔒 PLAN P. 84, E1

Installé depuis le milieu des années 1990, cette chaîne tchèque désormais internationale propose des produits de beauté et de bien-être à base de plantes cultivées dans une ferme bio à Ostrá, à l'est de Prague. Les savons parfumés, huiles de bain et shampoings aux herbes, jus de fruits et papiers artisanaux constituent des souvenirs originaux. Il y a des branches à Český Krumlov et Karlovy Vary ainsi que dans 14 autres pays. (📞 234 767 446 ; botanicus.cz ; Týn 3 ; 🕙 10h-18h30 nov-mars, 10h-20h avr-oct ; Ⓜ Náměstí Republiky)

Bric A Brac
ANTIQUITÉS

22 🔒 PLAN P. 84, D1

Une caverne merveilleusement encombrée de vieux accessoires pour la maison, objets en verre, jouets, flacons d'apothicaire, enseignes émaillées, vélos rouillés, machines à écrire, instruments à cordes, etc. Malgré le désordre apparent, les babioles (dénichées dans les greniers et bennes à ordures de toute la Bohême) sont incroyablement chères mais le sympathique propriétaire assure la visite guidée et peut donner une explication pour chaque pièce de sa collection gigantesque. (📞 222 326 484 ; prague-antique-shop.com ; Týnská 7 ; 🕙 11h-18h ; Ⓜ Náměstí Republiky)

Explorer
Place Venceslas et ses environs

Sorte de large boulevard, la place Venceslas fut le théâtre de nombreux épisodes de l'histoire tchèque depuis sa création en 1348 et garde les traces de sa grandeur passée – voyez les splendides façades Art nouveau –, bien qu'elle soit aujourd'hui envahie de boutiques de souvenirs, de restaurants, d'hôtels, de clubs… et de touristes.

Notre sélection

○ **Place Venceslas (p. 98)**. Théâtre de nombreuses contestations politiques, la plus grande place du pays est l'épicentre commercial de la capitale.

○ **Musée national (p. 103)**. Récemment rénové à l'intérieur et à l'extérieur, ce majestueux musée du XIXᵉ siècle a retrouvé son statut de visite immanquable à Prague.

○ **Musée Mucha (p. 103)**. Un musée entier dédié à la vie et à l'œuvre du plus célèbre artiste pragois.

○ **Musée du Communisme (p. 103)**. Un voyage dans le temps jusqu'à la rude époque du régime communiste de la Tchécoslovaquie.

○ **Opéra d'État de Prague (p. 108)**. Rénové il y a peu, cet opéra est l'un des meilleurs d'Europe de l'Est.

Comment y aller et circuler

Ⓜ Lignes A et B station Můstek (en bas de la place) ; lignes A et C station Muzeum (en haut de la place).

Plan de la Place Venceslas et ses environs p. 102

Palais Adria (p. 101) ISLAVICEK/SHUTTERSTOCK ©

Les incontournables
Place Venceslas

Marché aux chevaux (Koňský trh) et lieu des exécutions de Nové Město, la "Nouvelle Ville" décidée au XIVe siècle par l'empereur Charles IV, la place Venceslas prit le nom du saint patron de la Bohême à la faveur du renouveau nationaliste du milieu du XIXe siècle. C'est là que fut fêtée la création de la république de Tchécoslovaquie en 1918 et annoncée la chute du régime communiste en 1989.

🎯 PLAN P. 102, C3

Václavské náměstí

Ⓜ Můstek ou Muzeum

Mémorial à Jan Palach

Le **mémorial**, une croix en bronze sertie dans le pavé en contrebas des marches menant au Musée national rappelle le geste dramatique de Jan Palach le 16 janvier 1969. Cet étudiant s'immola par le feu pour protester contre l'invasion soviétique d'août 1968 et la soumission du Parti communiste tchécoslovaque à l'URSS.

Radio Free Europe

Pendant la guerre froide, nombre de Tchèques et de Slovaques écoutaient les nouvelles de l'Ouest sur Radio Free Europe (RFE), financée par les États-Unis. Après 1989 et la chute du régime communiste, la radio déplaça son siège de Munich à Prague, dans l'ancien Parlement fédéral tchécoslovaque (en haut de la place, à gauche du Musée national). En 2008, elle s'est installée dans la banlieue de Prague. L'**ancien siège** (nm.cz ; Vinohradská 1 ; tarif plein/réduit 200/130 Kč ; ⊙10h-18h) est aujourd'hui une annexe du Musée national.

Statue de saint Venceslas

Installée en 1912 à l'extrémité sud de la place, **la statue équestre** (photo ci-contre) du saint patron du pays, duc de Bohême de 925 à 929, est l'œuvre du sculpteur Josef Václav Myslbek. Quatre autres saints patrons de la région – Procope, Agnès, Ludmilla et Adalbert – l'entourent.

Grand Hotel Evropa

Superbe exemple d'architecture Art nouveau, ce grand **hôtel** situé au n°25 de la place en est l'édifice le plus ornementé et sans doute l'un des plus beaux. Construit entre 1902 et 1906, il a conservé sa superbe façade ainsi que nombre d'éléments intérieurs d'origine. Il était hélas fermé pour rénovation lors de notre passage et la date de réouverture incertaine.

★ À savoir

○ Lors des jours fériés et des fêtes, des stands de nourriture et de boisson investissent la place.

○ Surveillez vos effets personnels, surtout le soir : des pickpockets sévissent sur la place.

○ Les restaurants de la place sont souvent des attrape-touristes. Vous trouverez d'autres adresses à proximité.

✕ Une petite pause ?

Au sein du passage commerçant Lucerna, sur le côté sud de la place Venceslas (entrée depuis Vodičkova ou Štěpánská), l'élégante **Kavárna Lucerna** (☏224 215 495 ; restaurace-monarchie.cz/en/cafe-lucerna ; Pasáž Lucerna, Štěpánská 61 ; ⊙10h-minuit ; ☎ ; 🚋3, 5, 6, 9, 14, 24), de style années 1920, est une adresse fantastique pour un café rapide.

Promenade à pied

Révolution de Velours

L'année 1989 fut capitale pour l'Europe de l'Est. Comme par un effet domino, on assista à la chute successive des gouvernements communistes. La plus étonnante de ces révolutions se fut celle qui vint à bout du communisme en Tchécoslovaquie et que l'on appelle la révolution de Velours. Cette promenade vous fera passer par les sites des plus grandes manifestations, grèves et conférences de presse, qui permirent ce changement.

Départ Národní třída ; Ⓜ Národní třída

Arrivée Ancien bâtiment de Radio Free Europe ; Ⓜ Muzeum

Distance et durée 2 km, 45 minutes

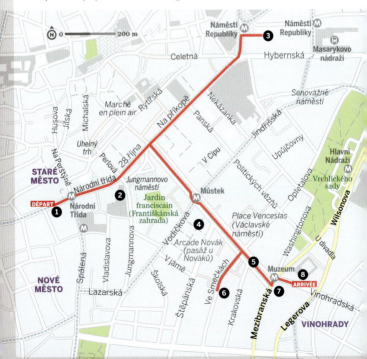

❶ Mémorial aux étudiants

Commencez à l'endroit où débuta la révolution elle-même. La **sculpture en bronze**, sur le côté d'un cabinet d'avocats, commémore les événements tragiques du 17 novembre 1989, quand des dizaines de milliers d'étudiants qui défilaient à la mémoire des Tchèques tués durant la Seconde Guerre mondiale furent attaqués par la police antiémeutes.

❷ Palais Adria

De style rondocubiste (un style qui associe au cubisme des éléments typiquement slaves), le beau **palais Adria** servit temporairement de siège au Forum civique, l'organisation formée par Václav Havel pour représenter les manifestants et leurs demandes. Durant les semaines qui suivirent le 17 novembre, ce lieu fut un vivier d'activité dissidente.

❸ Musée du Communisme

Le **musée du Communisme** (p. 103) met en lumière l'histoire locale du communisme – et la propagande, les privations, les humiliations et les crimes qui finirent par déclencher une révolution. Un court film relate les événements de 1989.

❹ Immeuble Melantrich

La protestation s'étendit rapidement à la place Venceslas, située non loin, et à l'**immeuble Melantrich**, désormais un Marks & Spencer. Le 24 novembre, Havel et Alexander Dubček, président destitué lors du "Printemps de Prague", s'adressèrent à la foule depuis le balcon de cet édifice.

❺ Statue de saint Venceslas

À l'extrémité supérieure de la place, la **statue de Venceslas** (p. 99) fut parée de drapeaux, affiches et slogans politiques.

❻ Théâtre Činoherní Klub

Les théâtres de Prague étaient utilisés pour des discussions publiques. Le Forum civique fut fondé le 19 novembre au **théâtre Činoherní Klub** (Ve Smečkách 26) et exigea immédiatement la démission des fonctionnaires communistes.

❼ Mémorial à Jan Palach

Face au **Musée national**, le **mémorial à Jan Palach** (p. 99) est une croix incrustée dans le pavé ; elle rend hommage à un étudiant qui s'immola par le feu en 1969 pour protester contre l'invasion de la Tchécoslovaquie par le Pacte de Varsovie (alliance militaire groupant les pays d'Europe de l'Est et l'URSS). Il devint un héros national.

❽ Radio Free Europe

En haut de la place, à gauche du Musée national, se dresse l'ancien bâtiment de **Radio Free Europe** (p. 99), station de radio qui contribua à la chute du régime. Il abrite désormais une branche du Musée national.

Place Venceslas et ses environs

Nos adresses

	Les incontournables	p. 98
	Voir	p. 103
	Se restaurer	p. 105
	Prendre un verre	p. 107
	Sortir	p. 108
	Shopping	p. 109

Praha hlavní nádraží (Gare centrale de Prague)

Wilsonova

Vrchlického sady

Hlavní Nádraží

Senovážné náměstí

Jeruzalémská

Jindřišská

Senovážná

Nekázanka

Na Příkopě

Havířská

Rytířská

Panská

V Cípu

Jindřišská

Müstek

Na Provaznická

Müstek

Na Můstku

28. října

Perlová

Uhelný trh

Jungmannovo náměstí

Müstek

Národní třída

Národní Třída

Café Louvre

Spálená

Purkyňova

Vladislavova

Lazarská

Jungmannova

Palackého

Vodičkova

V Jámě

Štěpánská

Školská

Václavské / Place Venceslas

Washingtonova

Opletalova

Politických vězňů

Růžová

Krakovská

Ve Smečkách

Mezibranská

Muzeum

Vinohradská

Legerova

U divadla

Škrétova

Balbínova

Mánesova

Polská

Šubertova

Washingtonova

Jardin franciscain (Františkánská zahrada)

Arcade Novák (pasáž u Nováků)

Église Notre-Dame-des-Neiges

1 Musée national

2 Musée Mucha

3

4 Abri antiatomique de l'Hôtel Jalta

5

6

7

8

9

10

11

12

13

14

15

16

200 m

Voir

Musée national   MUSÉE

1 ⊙ PLAN P. 102, D4

Conçu dans les années 1880 par Josef Schulz comme symbole architectural du Réveil national tchèque, ce splendide édifice de style néo-Renaissance a des collections illustrant l'histoire culturelle, intellectuelle et scientifique du pays. L'aile principale a rouvert en 2018 après plusieurs années de travaux de rénovation, mais il faudra encore attendre pour voir l'ensemble des collections réinstallées. (Národní muzeum ; ☏ 224 497 111 ; nm.cz ; Václavské náměstí 68 ; tarif plein/réduit/-15 ans 300/200 Kč/gratuit ; ⊙ 10h-18h ; Ⓜ Muzeum)

Musée Mucha   MUSÉE D'ART

2 ⊙ PLAN P. 102, C1

Ce musée fascinant présente les affiches, les peintures et les panneaux décoratifs Art nouveau d'Alfons Mucha (voir p. 104), dont les célèbres représentations de la comédienne Sarah Bernhardt, ainsi que des esquisses, des photos et des souvenirs. La figure de la jeune fille slave aux longs cheveux flottants, portant guirlandes et rameaux de tilleul, apparaît de façon récurrente. Vous verrez aussi des clichés pris dans son atelier parisien (dont l'un montre Paul Gauguin sans pantalon jouant de l'harmonium), l'œuvre puissante *Vieille femme en hiver* et l'affiche originale de Sarah Bernhardt en Gismonda (1894) qui le rendit célèbre dans le monde entier. En 1910, Mucha réalisa le décor de la salle du Bourgmestre dans la Maison municipale de Prague (p. 85). Après la création de la Tchécoslovaquie en 1918, il dessina les nouveaux timbres et les billets de banque du pays. Le documentaire sur sa vie permet de mieux comprendre son œuvre. (Muchovo muzeum ; ☏ 224 216 415 ; mucha.cz ; Panská 7 ; tarif plein/réduit 300/200 Kč ; ⊙ 10h-18h ; 🚋 3, 5, 6, 9, 14, 24)

Musée du Communisme   MUSÉE

3 ⊙ PLAN P. 102, D1

Fondé par un couple tchéco-américain, ce musée privé raconte les années tchécoslovaques derrière le Rideau de Fer, à travers des photos, des textes et une intéressante collection d'objets de toutes sortes. (Muzeum Komunismu ; ☏ 224 212 966 ; muzeumkomunismu.cz ; V Celnici 4 ; tarif plein/réduit 380/290 Kč ; ⊙ 9h-20h ; Ⓜ Můstek)

Abri antiatomique de l'Hotel Jalta   ÉDIFICE HISTORIQUE

4 ⊙ PLAN P. 102, D3

Place Venceslas, l'Hotel Jalta est bâti sur un abri antiatomique de l'époque communiste, construit en 1954 juste avant l'édification de l'hôtel, ouvert au public depuis 2013. La visite, conduite par un guide en uniforme de policier de l'époque, comprend plusieurs salles secrètes. Clou de la visite :

Alfons Mucha

Affichiste, peintre, décorateur… Alfons Mucha (1860-1939) est probablement le plasticien tchèque le plus célèbre dans le monde. Acteur majeur de l'Art nouveau – aux côtés de Gustav Klimt, William Morris ou Charles Rennie Mackintosh –, Mucha n'en affirmera pas moins n'appartenir à aucun mouvement artistique.

Il débute sa carrière comme décorateur à Vienne puis s'installe à Paris en 1887 pour parfaire sa formation artistique. Son portrait de Sarah Bernhardt (1895) pour la pièce *Gismonda* propulse sa carrière de dessinateur publicitaire ; il se rend plusieurs fois aux États-Unis, ce qui lui assure une reconnaissance internationale. Mucha retourne dans son pays en 1909, et dessine les billets de banque de la première République tchécoslovaque après 1918. À cette époque, il produit aussi son grand œuvre, un ensemble de 20 tableaux gigantesques retraçant l'histoire des peuples slaves, et qu'il intitule *L'Épopée slave* (*Slovanská epopej*).

Mucha est l'auteur des splendides intérieurs de la Maison municipale de Prague (p. 85) et du superbe vitrail de la cathédrale Saint-Guy (p. 38). Ses œuvres Art nouveau sont exposées au musée Mucha (p. 103).

---

la salle des communications, d'où l'on écoutait les conversations des clients de l'hôtel. (Muzeum studené války Krizový štábní kryt ; en.muzeum-studene-valky.cz/vstupne ; Václavské náměstí 45 ; tarif plein/réduit 200/130 Kč ; ⏱visite en anglais 13h, 14h30, 16h et 17h30 ; Ⓜ Muzeum)

Église Notre-Dame-des-Neiges ÉGLISE

5 ⦿ PLAN P. 102, B2

La construction de cette église gothique, à l'extrémité nord de la place Venceslas, fut ordonnée au XIVᵉ siècle par Charles IV. Seul le chœur fut achevé, ce qui lui donne l'air plus haute que longue. Charles IV désirait en faire la plus grande de Prague, mais les guerres hussites mirent un terme aux travaux. La nef est plus haute que celle de la cathédrale Saint-Guy, et l'autel est le plus haut de la ville. (Kostel Panny Marie Sněžné ; pms.ofm.cz ; Jungmannovo náměstí 18 ; ⏱7h-19h ; Ⓜ Můstek)

Passage Lucerna SITE HISTORIQUE

6 ⦿ PLAN P. 102, C3

Ce passage Art nouveau se déploie sous le palais Lucerna, entre les rues Štěpánská et Vodičkova. On peut y voir une œuvre de David Černý, pendant ironique de la statue équestre de saint Venceslas. (Palác Lucerna ; lucerna.cz ; Vodičkova 36 ; Ⓜ Můstek)

Se restaurer

Cukrárna Myšák
CAFÉ €

7 PLAN P. 102, B3

Ouvert par le confiseur František Myšák en 1911 et réaménagé par l'artiste Josef Čapek (frère de Karel) en 1922, le Myšák a survécu à une histoire mouvementée et est resté une *cukrárna* (pâtisserie) classique de Prague, assez chère dans sa version actuelle. Vous pourrez y déguster de succulents gâteaux et y prendre un café. Emplacement ultra central et héritage illustre, vous ne pouvez pas passer à côté. (730 589 249 ; mysak.ambi.cz ; Vodičkova 31 ; gâteaux à partir de 45 Kč ; 7h30-19h lun-ven, 9h-19h sam-dim ; 3, 5, 6, 9, 14, 24)

Dhaba Beas
VÉGÉTARIEN €

8 PLAN P. 102, C3

Les restaurants végétariens en self-service Dhaba Beas sont présents dans des quartiers méconnus de Prague depuis des années, mais cette nouvelle version aux lignes épurées, dans le passage Lucerna, est facile à trouver et offre une sélection de salades, plats épicés et boissons saines. (dhababeas.cz ; Štěpánská 61, Pasáž Lucerna ; 22,90 Kč/100 g ; 11h-21h lun-ven, 12h-20h sam-dim ; 3, 5, 6, 9, 14, 24)

Výtopna
TCHÈQUE €€

9 PLAN P. 102, D4

Vous avez un faible pour les trains ? Eh bien, essayez ce restaurant au concept original

Musée national (p. 103)

Oppression et révolution

Du "coup de Prague" à l'invasion russe
En février 1948, le parti communiste tchèque, insatisfait du rôle qu'il occupe dans la coalition d'après guerre issue des élections de 1946, s'empare du pouvoir avec l'appui de l'Union soviétique. Le "coup de Prague" signe le début d'un demi-siècle de bouleversements politiques. Les premières années du régime sont marquées par une vague de répression impitoyable. Les opposants politiques et de nombreux cadres du Parti, accusés de conspirer contre l'État, sont arrêtés et liquidés lors de procès théâtraux.

À la fin des années 1960, le secrétaire général du parti communiste, Alexander Dubček, lâche un peu de lest en instaurant un "socialisme à visage humain", sorte de troisième voie entre communisme et capitalisme, qui s'accompagne d'un renouveau artistique dont Milan Kundera, Bohumil Hrabal, Václav Havel et Miloš Forman sont les principaux protagonistes. Mais dans la nuit du 20 au 21 août 1968, le régime soviétique mate ce "printemps de Prague". Dubček est remplacé par Gustáv Husák, de la ligne dure. Des milliers de personnes sont expulsées du Parti et perdent leur emploi. Une période de répression, désignée sous le terme de "normalisation", s'installe jusqu'en 1989. La dissidence active se résume à quelques centaines de personnes, pour l'essentiel des intellectuels et des artistes, dont le dramaturge Václav Havel.

La chute du communisme
En 1989, tandis que s'écroulent les régimes communistes d'Europe de l'Est, le gouvernement est poussé à abandonner le pouvoir. Le 17 novembre, la police réprime violemment une manifestation pacifique. L'événement sert de catalyseur à la révolution. Plus de 500 000 personnes investissent la place Venceslas. Un groupe mené par Havel obtient la démission du gouvernement le 3 décembre, et 26 jours plus tard, Václav Havel prend la tête du pays. La révolution de Velours – ainsi qualifiée en raison de sa nature pacifiste – a triomphé.

Le "divorce de velours"
La transition vers la démocratie ne se fait pas sans heurts, mais finit tout de même par aboutir. Ironie du sort, l'un des avatars de la révolution fut la séparation du pays en deux États, l'un tchèque, l'autre slovaque, en 1993, une rupture à l'amiable baptisée le "divorce de velours".

de la place Venceslas, où les boissons peuvent être servies par des trains miniatures sur de longs rails. Si le prix de la bière est raisonnable, la nourriture est chère, mais il y a un menu enfant. Si vous réservez en ligne, précisez bien que vous désirez une table servie par un train. (775 444 554 ; vytopna.cz ; Václavské náměstí 56 ; plats 239-399 Kč ; 11h-minuit ; ; Muzeum)

grignoter, surtout du fromage et de la charcuterie. La liste des vins et des plats est inscrite en tchèque et en anglais sur de grandes ardoises derrière le comptoir. Réservation conseillée le week-end car on s'y bouscule. Une enseigne très courue à **Malá Strana** (604 705 730 ; Míšeňská 8 ; 16h-minuit lun-sam, 14h-22h dim ; ; 12, 15, 20, 22, 23). (214 214 681 ; vinograf.cz ; Senovážné náměstí 23 ; 11h30-minuit lun-ven, 17h-minuit sam ; ; 3, 5, 6, 9, 14, 24)

Prendre un verre

Vinograf
BAR À VINS

10 PLAN P. 102, E1

Avec son personnel compétent et son atmosphère décontractée, ce bar moderne est une excellente adresse pour découvrir les vins moraves. Il y a aussi de quoi

Hoffa
BAR À COCKTAILS

11 PLAN P. 102, E1

L'éclairage tamisé est la principale caractéristique du lieu. Un long comptoir (12 m !) s'élève devant le vaste espace sobre et fonctionnel, tandis que le mur est percé

Hoffa

de grandes ouvertures donnant sur la fontaine de Senovážné náměstí et ses farfadets musiciens. Le personnel est chaleureux, les cocktails sont délicieux, et l'on y sert une bonne cuisine. Pensez à réserver. (☏ 601 359 659 ; hoffa.cz ; Senovážné náměstí 22 ; ⊙11h-2h lun-ven, 18h-2h sam, 18h-minuit dim ; 🛜 ; 🚋 3, 5, 6, 9, 14, 24)

Sortir

Lucerna Music Bar   MUSIQUE LIVE

12 ⭐ PLAN P. 102, C3

La nostalgie est reine dans cet ancien théâtre plein de cachet bien qu'un peu défraîchi. Il accueille des spectacles de tous styles – des stars tchèques aux guitaristes amateurs de tout le pays. Extrêmement populaire, la soirée clips des années 1980 et 1990 revient chaque vendredi et samedi à 21h et fait le bonheur d'une clientèle locale plus si jeune, qui s'amuse sur Depeche Mode et Modern Talking. (☏ 224 217 108 ; musicbar.cz ; Palác Lucerna, Vodičkova 36 ; ⊙9h30-1h lun-sam ; Ⓜ Můstek)

Opéra d'État de Prague   OPÉRA

13 ⭐ PLAN P. 102, E3

L'édifice néorococo de l'opéra d'État offre un cadre sublime aux représentations de danse et d'art lyrique. Après des rénovations, l'édifice a rouvert ses portes en 2020. (Státní opera Praha ; ☏ 224 901 448 ; narodni-divadlo.cz ; Wilsonova 4 ; ⊙guichet 10h-18h ; Ⓜ Muzeum)

Kino Světozor   CINÉMA

14 ⭐ PLAN P. 102, C3

Ce cinéma programme des grands classiques, des documentaires et des films d'art et d'essai en VO, mais projette aussi les succès du box-office. L'équipe gère aussi le **Kino Aero** (☏ 271 771 349 ; kinoaero.cz ; Biskupcova 31, Žižkov ; billets 60-120 Kč ; 🛜 ; 🚋 9, 10, 11, 16) dans le

---

Shopping "À la douve"

Traversant la partie basse de la place Venceslas, Na Příkopě ("À la Douve") est l'une des promenades les plus fréquentées de Prague, et suit le tracé de la douve qui s'étendait jadis entre Staré Město et Nové Město pour protéger la Vieille Ville.

Au XIXe siècle, les cafés de Na Příkopě étaient en vogue auprès de la haute société autrichienne. Aujourd'hui, c'est une artère commerçante bordée d'enseignes internationales, mais aussi de grandes galeries marchandes, dont Černá Růže ("Rose Noire" ; cernaruze.cz) au n°12, Myslbek pasáž (myslbek.com) au n°21, Slovanský dům (slovanskydum.cz) au n°22 et Palladium (palladiumpraha.cz) au n°1 de náměstí Republiky.

quartier de Žižkov. (☎224 946 824 ; kinosvetozor.cz ; Vodičkova 41 ; 70-145 Kč ; 📶 ; Ⓜ Můstek)

Shopping

Bata
CHAUSSURES

15 🔒 PLAN P. 102, B2

Fondé par Tomáš Baťa en 1894, cet empire de la chaussure, toujours dans le giron familial, est l'une des entreprises les plus prospères du pays. L'enseigne phare de la place Venceslas, construite dans les années 1920, est un chef-d'œuvre d'architecture moderne, dédié aux souliers, sacs à main, bagages et articles en cuir. (☎221 088 478 ; bata.cz ; Václavské náměstí 6 ; 🕐9h-21h lun-sam, 10h-21h dim ; Ⓜ Můstek)

Moser
CRISTALLERIE

16 🔒 PLAN P. 102, C1

Cristallerie de Bohême la plus respectée, Moser fut fondée dans la ville de Karlovy Vary en 1857. Elle doit sa célébrité à ses motifs d'une grande richesse. Vous ne ferez sans doute pas d'achats dans la boutique de Na Příkopě, car même les plus petits articles coûtent des milliers de couronnes, mais le plaisir des yeux est garanti. Magnifiquement décoré, l'édifice gothique était jadis appelé la maison de la Rose Noire (*dům U černé růže*). (☎224 211 293 ; moser-glass.com ; Na příkopě 12 ; 🕐10h-20h lun-ven, 10h-19h sam-dim ; Ⓜ Můstek)

Explorer
Nové Město

*La "Nouvelle Ville" n'a de nouveau que le nom.
La construction de ce quartier qui borde Staré Město
au sud et à l'est fut décidée en 1348 par l'empereur
Charles IV, qui souhaitait étendre la ville. Mais
à la différence de Staré Město ou de Malá Strana,
l'Histoire, ici, se fait moins palpable : le quartier
a en effet été massivement reconstruit au XIXe siècle.*

Notre sélection

○ **Théâtre national (p. 118)**. *Édifié à la fin du XIXe siècle grâce à des dons provenant de tout le territoire tchèque, il reste la scène numéro un du pays.*

○ **Kavárna Slavia (p. 116)**. *Le plus célèbre café du pays est un repaire de comédiens, d'écrivains et de touristes curieux.*

○ **Marché de producteurs de Náplavka (p. 119)**. *Le meilleur marché de la ville s'installe au bord des eaux placides de la Vltava.*

○ **Reduta Jazz Club (p. 118)**. *Le club de jazz le plus pointu de Prague n'a rien à envier à ses homologues à l'internationale.*

○ **U Fleků (p. 117)**. *Dans la brasserie la plus connue de la capitale, on brasse la bière depuis au moins 500 ans.*

Comment y aller et circuler

🚋 Ligne 2, 9, 18, 22, 23 jusqu'à Národní divadlo.

Ⓜ Ligne B jusqu'à Můstek ou Karlovo Náměstí ; ligne A jusqu'à Můstek.

Plan de Nové Město p. 112

Théâtre national (p. 118) BTWCAPTURE/500PX ©

112

Nové Mĕsto

Nos adresses

Voir	p. 113	
Se restaurer	p. 115	
Prendre un verre	p. 116	
Sortir	p. 118	
Shopping	p. 119	

200 m

Mezibranská

Museum

Union des malvoyants tchèques

Krakovská

Ve Smečkách

Place Venceslas (Václavské náměstí)

Štěpánská

Palais Lucerna (Palác Lucerna)

V jámĕ

Jardin franciscain (Františkánská zahrada)

Škoolská

Navrátilova

Řeznická

Na Rybníčku II

Jungmannova

Palackého

Vodičkova

Navrátilova

Žitná

Malá Štěpánská

Ječná

Lipová

IP Pavlova

Karlínská

Place Charles

Vyšehradská

Place Charles (Karlovo náměstí)

Lazarská

Vladislavova

Purkyňova

Národní Třída

Palais Adria

K (sculpture de David Černý)

Mŭstek

Spálená

Spálená

Odborů

Karlovo Náměstí

NOVÉ MĔSTO

Mikulandská

Černá

Na Perštýnĕ

Bartolomĕjská

Bibliothèque Václav Havel

Ostrovní

V Jirchářích

Opatovická

Voršilská

Křemencová

Myslíkova

Na Zderaze

Mémorial national aux victimes de la répression sous Heydrich

Václavská

Václavská

Národní třída

Pštrossova

Na struze

Široká

Vojtěšská

Dittrichova

Place Jirásek (Jiráskovo náměstí)

Resslova

Divadelní

Masarykovo nábřeží

Smetanovo nábřeží

Île Slovanský (Slovanský ostrov)

Pont Jirásek (Jiráskův most)

Voir

Musée de la ville de Prague

MUSÉE

1 🎯 PLAN P. 112, F2

Cet excellent musée inauguré en 1898 retrace l'histoire de la ville, de la préhistoire au XXᵉ siècle. Installée dans un bel édifice néo-Renaissance, son intéressante collection comprend notamment une extraordinaire maquette d'Antonín Langweil, qui reproduit à l'échelle 1/480 la ville entre 1826 et 1834, et le cadran d'origine de l'horloge astronomique (1866), dont les beaux panneaux peints par Josef Mánes symbolisent les mois ; vous remarquerez janvier, en haut, qui se réchauffe les pieds devant un feu, et août, vers le bas, qui moissonne à l'aide d'une faucille. (Muzeum hlavního města Prahy ; 📞 221 709 674 ; muzeumprahy.cz ; Na poříčí 52 ; tarif plein/réduit 150/60 Kč ; 🕐 9h-18h mar-dim ; Ⓜ Florenc)

Bibliothèque Václav Havel

BIBLIOTHÈQUE

2 🎯 PLAN P. 112, B2

Soutenue par la fondation qui protège l'héritage de Václav Havel (1936-2011), dramaturge représentant de l'opposition intellectuelle contre le pouvoir communiste devenu président, cette petite bibliothèque présente une exposition sur sa vie et son œuvre intitulée *Havel en bref* (*Havel v Kostce* en tchèque), avec des photos, des citations et des écrans tactiles. Visite guidée en anglais à réserver par courriel (info@vaclavhavel-library.org). (Knihovna Václava Havla ; 📞 222 220 112 ; vaclavhavel-library.org ; Ostrovní 13 ; entrée libre ; 🕐 12h-17h mar-sam ; 🚊 1, 2, 9, 13, 14, 17, 18, 22, 23)

Gare centrale de Prague

ARCHITECTURE

3 🎯 PLAN P. 112, F2

Important axe de transports, la gare centrale est aussi un bel édifice, en particulier le hall Art nouveau construit entre 1901 et 1909 sur les plans de Josef Fanta, auquel une récente rénovation a redonné toute sa splendeur. Gagnez le dernier étage pour admirer cette vaste salle à coupole ornée d'une mosaïque de deux femmes voluptueuses, de l'inscription latine *Praga mater urbium* (Prague Mère des Villes) et la date "28. října r:1918" (28 octobre 1918, jour de l'indépendance de la Tchécoslovaquie). Le hall, où se trouvait jadis la billetterie centrale (on peut encore voir des guichets), est désormais occupé par un café. (Praha hlavní nádraží ; Wilsonova ; 🕐 3h15-0h40 ; Ⓜ Hlavní Nádraží)

Place Charles

PLACE

4 🎯 PLAN P. 112, C4

Couvrant plus de 8 ha, cette place est la plus vaste de Prague – elle s'apparente plutôt à un petit parc et il s'agissait jadis d'un marché aux bestiaux. Elle est dominée par l'**église Saint-Ignace**

Les bourreaux meurent aussi

En réaction à une série de grèves et d'opérations de sabotage menées par les résistants locaux, Hitler nomma en 1941 l'officier SS Reinhard Heydrich, spécialiste de la lutte contre les activités subversives, protecteur adjoint du Reich (*Reichsprotektor*) en Bohême-Moravie. La répression ne se fit pas attendre.

Afin de soutenir la Résistance et le moral de la population, les services secrets britanniques entraînèrent secrètement un groupe de parachutistes tchécoslovaques dans le cadre de l'opération Anthropoid, visant à tuer Heydrich. Le 27 mai 1942, Jan Kubiš et Jozef Gabčík attaquèrent le dirigeant dans sa voiture officielle, alors que celui-ci se trouvait dans le quartier de Libeň. Heydrich, gravement blessé, décéda huit jours plus tard, le 4 juin.

Après le raid, les deux hommes et cinq de leurs complices se réfugièrent dans l'église Saints-Cyrille-et-Méthode où, dénoncés, ils furent assiégés et abattus à l'aube du 18 juin. Dans la crypte, le **Mémorial national aux victimes de la répression sous Heydrich** (Národní památník hrdinů Heydrichiády ; plan p. 112, B4 ; 222 540 718 ; vhu.cz/muzca/ostatni-expozice/krypta, Resslova 9a ; 9h-17h mar-dim ; Karlovo Náměstí) retrace leur histoire.

Les nazis répliquèrent à cet attentat par une vague de terreur, rasant les villages tchèques de Ležáky et de Lidice et brisant le mouvement d'opposition clandestin. Cet épisode de la Seconde Guerre mondiale a inspiré de nombreux romans et longs métrages, parmi lesquels *Les bourreaux meurent aussi* (1943) de Fritz Lang.

(kostel sv Ignáce ; Ječná 2 ; Karlovo Náměstí), prouesse baroque conçue en 1678 par Carlo Lurago pour les Jésuites. Un vaste programme de réhabilitation du parc doit être mené d'ici 2025.

À l'extrémité sud de la place, le palais baroque appartient à l'université Charles. Il est appelé **maison de Faust** (Faustův dům ; Karlovo náměstí 40 ; Karlovo Náměstí) car la légende veut que Méphistophélès ait conduit le docteur Faust en enfer à travers un trou de son plafond. L'édifice est aussi associé à Edward Kelley (XVIe siècle), alchimiste anglais très apprécié à la cour d Rodolphe II, qui s'évertua en ce lieux à transformer du plomb en or. (Karlovo Náměstí)

K (sculpture de David Černý)

ART PUBLIC

 PLAN P. 112, C1

La tête monumentale de Franz Kafka réalisée par David Černý se tient dans la cour du centre commercial Quadrio, au-dessus de la station de métro Národní třída. Composée de disques mobiles en inox réfléchissant, l'œuvre de 42 tonnes tourne et se déforme, allusion à la personnalité changeante et aux doutes de l'écrivain. Comme beaucoup de passants, vous risquez de vous éterniser devant ce spectacle. (Quadrio, Spálená 22 ; accès libre ; M Národní Trída)

Se restaurer

Globe Bookstore & Café   CAFÉ €

6 PLAN P. 112, B3

Ce café-librairie d'expatriés sert *nachos*, burgers, et salades tous les jours jusqu'à 23h (22h le dimanche), mais aussi d'excellents brunchs (de 9h30 à 15h samedi et dimanche) et des petits-déjeuners de 10h à 12h en semaine. (224 934 203 ; globebookstore.cz ; Pštrossova 6 ; plats 150-300 Kč ; 10h-23h lun-ven, 9h30-12h30 sam, 9h30-22h30 dim ; ; M Karlovo Náměstí)

Klub Cestovatelů   MOYEN-ORIENTAL €€

7 PLAN P. 112, A3

Ce restaurant-salon de thé libanais tenu par des globe-trotteurs cultive une atmosphère chaleureuse et détendue. Terminez votre repas de *baba ghanouj* (caviar d'aubergines à la libanaise), de falafels, de houmous ou de brochettes d'agneau par d'authentiques desserts orientaux et un thé de qualité. Le lieu organise d'innombrables événements en lien avec l'univers du voyage

K de David Černý

(pas toujours en tchèque). Le menu du midi (109-129 Kč) est une aubaine. (☎734 322 729 ; klubcestovatelu.cz ; Masarykovo nábřeží 22 ; plats 69-300 Kč ; ⏱11h-23h lun-ven, 12h-23h sam, 12h-22h dim ; 📶🛠♿ ; 🚊17)

Café Imperial
INTERNATIONAL €€

8 🍴 PLAN P. 112, E1

Ouvert en 1914 et complètement rénové en 2007, ce fleuron de l'Art nouveau a conservé ses carreaux en céramique, mosaïques, panneaux sculptés et bas-reliefs d'origine, le tout rehaussé de luminaires et de bronzes d'époque. Le menu va des petits-déjeuners américains aux classiques tchèques en passant par la caille rôtie. Le mieux est de venir pour commencer la journée de façon relativement économique mais en toute élégance. (☎246 011 440 ; cafeimperial.cz ; Na poříčí 15 ; plats 165-455 Kč ; ⏱7h-23h ; 📶 ; Ⓜ Náměstí Republiky)

Art Restaurant Mánes
FRANÇAIS €€

9 🍴 PLAN P. 112, A3

Dissimulé derrière l'étonnante façade fonctionnaliste (fin des années 1920) de la **galerie Mánes** (Výstavní síň Mánes ; entrée libre ; ⏱10h-20h mar-dim ; 🚊5, 17), ce sublime restaurant est à la fois convivial et sophistiqué, avec ses lignes angulaires typiques de l'Art déco et ses plafonds ornés des fresques d'origine peintes par Emil Filla, artiste de l'avant-garde

tchèque. Les influences françaises sont évidentes dans le menu et quelques classiques locaux sont revisités de façon gastronomique. (☎730 150 772 ; manesrestaurant.cz ; Masarykovo nábřeží 1 ; plats 245-395 Kč ; ⏱11h-minuit ; 📶 ; 🚊5, 17)

Prendre un verre

Café Louvre
CAFÉ

10 ☕ PLAN P. 112, C1

Ce café à la française au charme désuet est sans doute le plus accessible des grands cafés de Prague, aussi prisé aujourd'hui qu'au début du XXe siècle, lorsque le fréquentaient Franz Kafka et Albert Einstein. On y sert de la bonne cuisine et de l'excellent café. Ne manquez pas la salle de billard et la galerie d'art au rez-de-chaussée. (☎724 054 055 ; cafelouvre.cz ; 1er ét, Národní třída 22 ; ⏱8h-23h30 lun-ven, 9h-23h30 sam et dim ; 📶 ; Ⓜ Národní třída)

Kavárna Slavia
CAFÉ

11 ☕ PLAN P. 112, A1

Avec ses murs parés de merisier et d'onyx, ses tables de bistrot et ses grandes fenêtres donnant sur le fleuve, le plus célèbre des vieux cafés pragois fait figure de temple du style Art déco. Il s'agit aussi d'un lieu de rendez-vous littéraire depuis le début du XXe siècle, fréquenté en leur temps par Rainer Maria Rilke et Franz Kafka, puis par Václav Havel et d'autres dissidents durant les années 1970 et 1980. Aujourd'hui, on y croise plutôt

Les grands cafés de Prague

Prague est réputée pour ses bars, Vienne pour ses cafés. Pourtant, la capitale tchèque possède aussi de vénérables institutions qui peuvent rivaliser avec leurs cousines autrichiennes en matière de style et d'atmosphère, mais pas en matière de café, soyons honnête. Depuis l'époque de l'Empire austro-hongrois, les cafés pragois, avec leurs hauts plafonds et leur décoration sophistiquée, ont toujours été des lieux de vie sociale, des viviers de subversion politique et des salons littéraires.

À des époques différentes, Franz Kafka, Karel Čapek (homme de lettres, inventeur du mot "robot") et Albert Einstein ont tous fréquenté le **Café Louvre**, tandis que de l'autre côté de la rue, au **Kavárna Slavia**, Milan Kundera, Václav Havel et d'autres écrivains, dramaturges et réalisateurs ont figuré parmi les clients réguliers.

---

des comédiens du Théâtre national d'en face. Parfait pour un café turc et une bonne part de gâteau par un après-midi pluvieux en compagnie d'un bon livre. (📞224 218 493 ; cafeslavia.cz ; Národní třída 1 ; ⏰8h-minuit lun-ven, 9h-minuit sam-dim ; 📶 ; 🚋2, 9, 18, 22, 23)

U Fleků BRASSERIE

12 PLAN P. 112, B3

Joyeux dédale de salles où l'on boit ou mange, cette institution pragoise est souvent prise d'assaut par les groupes de touristes amateurs de fanfares et de Flek, la bière brune brassée maison titrant à 13° (40 cl, 69 Kč). La bière, excellente, saura convaincre les puristes. Hélas ! les prix, touristiques eux aussi, rebutent la clientèle locale. (📞224 934 019 ; ufleku.cz ; Křemencová 11 ; ⏰10h-23h ; 📶 ; 🚋5)

Pivovarský Dům BRASSERIE

13 PLAN P. 112, D4

Tandis que les touristes affluent au U Fleků, les habitants se retrouvent ici pour siroter tranquillement une blonde tchèque Štěpán fabriquée sur place, ainsi que de la bière de froment et des variétés aromatisées au café, à la banane ou à la cerise. L'endroit occupe une salle agréable, avec des cuves en cuivre et du matériel de brasserie. D'intéressantes spécialités à base de bière sont aussi produites sur place, notamment la soupe à la bière et les confitures à la bière. Le menu bon marché pour le déjeuner est à lui seul une bonne raison de venir. (📞296 216 666 ; pivovarskydum.com ; angle Ječná et Lipová ; ⏰11h-23h30 ; 🚋4, 6, 10, 13, 16, 22, 23)

Kavárna Velryba

CAFÉ

14 PLAN P. 112, C2

La "Baleine" est un café-bar bobo, d'ordinaire assez calme pour de vraies conversations, complété d'une arrière-salle et d'une galerie d'art en sous-sol. La carte inclut des en-cas convenant aux végétariens. Attirée par les petits prix, la clientèle mêlant étudiants tchèques, employés de bureau et voyageurs étrangers assure l'animation. (224 931 444 ; kavarnavelryba.cz ; Opatovická 24 ; 11h-23h lun-ven, 12h-23h sam-dim ; 3, 5, 6, 9, 14, 24)

Sortir

Théâtre national

THÉÂTRE

15 PLAN P. 112, A1

Vénéré par les Pragois, le Théâtre national est un bel écrin pour des opéras, des pièces de théâtre et des ballets de grands maîtres tels Smetana, Shakespeare ou Tchaïkovski (le *Casse-Noisette* affiche systématiquement complet avant Noël), qui partagent la programmation avec des dramaturges et compositeurs modernes. Les billetteries sont installées dans l'édifice de Nový sín juste à côté, au palais Kolowrat (en face du théâtre des États) et à l'opéra d'État. Assister à un spectacle ici est une expérience éminemment tchèque. Tenue élégante requise. (Národní divadlo ; 224 901 448 ; narodni-divadlo.cz ; Národní třída 2 ; billetterie 9h-18h, 10h-18h sam-dim ; 2, 9, 18, 22, 23)

Reduta Jazz Club

JAZZ

16 PLAN P. 112, C1

Fondé en 1958, le doyen des clubs de jazz pragois a vu Bill Clinton faire un bœuf en 1994 avec un saxophone offert par Václav Havel. Les clients, sur leur trente et un, s'installent sur des gradins ou des fauteuils pour écouter big bands, swing et dixieland dans un cadre intime. Programme et réservation sur le site Internet. (224 933 487 ; redutajazzclub.cz ; Národní třída 20 ; 19h-1h ; Národní Třída)

Laterna Magika

ARTS DE LA SCÈNE

17 PLAN P. 112, A1

Initiée pour l'Exposition universelle de Bruxelles en 1958, la Laterna Magika propose du "théâtre noir", des spectacles multimédia mêlant danse, musique, théâtre et projections d'images fixes ou animées. La Nová Scéna ("Nouvelle Scène"), extension futuriste du Théâtre national, accueille la Laterna Magika depuis son départ du palais Adria, dans les années 1970. (224 901 417 ; narodni-divadlo.cz ; Nová Scéna, Národní třída 4 ; billets 260-690 Kč ; billetterie 9h-18h lun-ven, 10h-18h sam-dim ; Národní Třída, 2, 9, 18, 22, 23)

Théâtre Image

ARTS DU SPECTACLE

18 PLAN P. 112, C1

Cette compagnie fondée en 1989 fait appel au théâtre noir, un art de la pantomime mettant en scène des personnages vêtus de costumes phosphorescents éclairés par des ultraviolets, à la danse moderne et à la vidéo, sans oublier une bonne dose de comédie bouffonne. Si la mise en scène peut être très efficace, l'ambiance dépend de la réaction de l'auditoire. (Divadlo Image ; 📞222 314 448 ; imagetheatre.cz ; Národní třída 25 ; 🕐billetterie 10h-20h ; Ⓜ Národní třída)

Wonderful Dvořák

MUSIQUE CLASSIQUE

19 ⭐ PLAN P. 112, E4

La jolie petite Vila Amerika (1717) ancienne résidence d'été d'un aristocrate abrite aujourd'hui le **musée Dvořák** (Muzeum Antonína Dvořáka ; 📞774 845 823 ; nm.cz ; plein/réduit/-15 ans 50/30 Kč/ gratuit ; 🕐10h-17h mar-dim) et accueille de mai à octobre des spectacles d'œuvres de Dvořák par un orchestre de chambre, en costumes d'époque. Réservez via le site Internet. (Kouzelný Dvořák ; musictheatre.cz ; Ke Karlovu 20, Vila Amerika ; billets 595 Kč ; 🕐concerts 20h mar et ven mai-oct ; Ⓜ IP Pavlova)

Shopping

Marché de producteurs de Náplavka

MARCHÉ

20 🔒 PLAN P. 112, A4

Ce marché hebdomadaire tire le meilleur parti de sa situation le long des quais entre Trojická et Výton, où des musiciens se produisent et des tables sont disséminées au milieu des étals de pain frais, de légumes bios locaux, de pâtisseries maison, de miel sauvage, de cidre tchèque, de café et d'objets d'artisanat variés. Le Náplavka est aussi utilisé pour d'autres événements et, en été, de nombreux bars sont aménagés sur des péniches. Sachez aussi que les arcades sont percées des plus grands œils-de-bœuf du monde ! Quand tout est calme, les quais redeviennent le domaine des cygnes, des mouettes et des joggeurs. (farmarsketrziste.cz ; Rašínovo nábřeží ; 🕐8h-14h sam ; 🚊2, 3, 4, 10, 16, 21)

Promenade à pied 🥾

Vyšehrad, l'autre château de Prague

L'ensemble d'édifices et de monuments qui forment la citadelle de Vyšehrad joua, plus d'un millénaire durant, un rôle important dans l'histoire tchèque. Même si peu d'édifices d'origine ont survécu, la citadelle est toujours considérée comme le foyer spirituel de Prague et le lieu mythique de sa fondation. Le rocher offre une vue différente de la ville. Plus de précisions sur praha-vysehrad.cz.

Départ Porte Tábor ;
M Vyšehrad

Arrivée Café Citadela ;
🚋 Výtoň

Distance et durée
1,5 km, 1 heure

❶ Les anciennes portes

En allant vers l'ouest, à 10 minutes à pied de la station de métro Vyšehrad, on franchit la **porte Tábor** puis les vestiges de la **porte Špička**, de style gothique.

❷ Le plus ancien édifice de Prague

La **rotonde Saint-Martin** (rotunda sv Martina), église romane du XIe siècle, est considérée comme le plus vieil édifice pragois. La porte et les fresques datent d'une rénovation effectuée vers 1880. Elle est ouverte uniquement durant les offices.

❸ Citadelle

Les voûtes secrètes de la **porte en brique** et des **casemates** (praha-vysehrad.cz ; tarif plein/réduit 90/50 Kč ; ⏱9h30-18h avr-oct, jusqu'à 17h nov-mars) servaient de lieu de garnison et de stockage d'armes au XVIIIe siècle, époque où Vyšehrad était une forteresse. En sous-sol, la **salle Gorlice** abrite des statues d'origine du pont Charles.

❹ Cimetière

Dans le **cimetière de Vyšehrad** (praha-vysehrad.cz ; entrée libre ; ⏱8h-19h mai-sept, horaires restreints oct-avr) reposent plusieurs personnalités tchèques, dont Antonín Dvořák, Bedřich Smetana et Alfons Mucha. Nombre de caveaux et de pierres tombales ont rang d'œuvre d'art.

❺ La dernière église du site

Avec ses flèches gothiques, la **basilique Saints-Pierre-et-Paul** (adulte/enfant 90/50 Kč ; ⏱10h-17h nov-mars, 10h-18h lun-sam et 11h-18h dim avr-oct), semble droit venue de l'époque de Charles IV, mais a été souvent remaniée au fil des siècles. Visibles de loin, les deux flèches, devenues l'emblème de Vyšehrad, datent de la fin du XIXe siècle, époque du bref engouement pragois pour le néogothique.

❻ Histoire en souterrain

La **cave gothique** (Gotický sklep ; tarif plein/réduit 50/30 Kč ; ⏱9h30-18h avr-oct, 9h30-17h nov-mars) présente une exposition sur l'histoire des fortifications de Prague qui permet de mieux replacer Vyšehrad dans le contexte historique.

❼ Bar avec vue

Le **Café Citadela** (facebook.com/cafecitadelavysehrad ; ⏱9h30-18h avr-sept, 10h-17h mer-dim oct-mars), bar en plein air le long des remparts sud de la forteresse, offre une ambiance décontractée et une jolie vue.

Explorer
Vinohrady et Žižkov

Très résidentiels, Vinohrady et Žižkov s'opposent sur bien des aspects. Vinohrady, jalonné d'édifices Art nouveau, est l'un des quartiers résidentiels les plus agréables et les plus prisés de la capitale. La "république populaire" de Žižkov est depuis le XIXe siècle un quartier ouvrier, aujourd'hui réputé pour ses pubs.

Notre sélection

○ **Vie nocturne de Vinohrady et Žižkov (p. 132)**. Dans ce duo de quartiers vous trouverez certains des meilleurs établissements nocturnes de la capitale.

○ **Église du Sacré-Cœur (p. 129)**. Imaginée par un architecte slovène dans les années 1930, c'est sans doute l'église la plus singulière de Prague.

○ **Mémorial national (p. 128)**. Une visite au chef de guerre hussite Jan Žižka sur son puissant destrier, avant un petit cours d'histoire tchécoslovaque.

○ **Tour de la télévision (p. 129)**. La plus haute construction de Prague, sur laquelle grimpent dix gros bébés, est dotée d'un restaurant au sommet.

○ **Riegrovy Sady (p. 129)**. Réputé pour son beer garden, ce vaste parc est idéal pour échapper à la foule des touristes.

Comment y aller et circuler

🚋 4, 10, 13, 16, ou 22 jusqu'à Náměstí Míru, 11 ou 13 jusqu'à Jiřího z Poděbrad.

Ⓜ Ligne A jusqu'à Náměstí Míru, Jiřího z Poděbrad ou Flora.

Plan de Vinohrady et Žižkov p. 126

Tour de la télévision (p. 129) avec les Bébés de David Černý
KATATONIA82/SHUTTERSTOCK ©

De bar en bar

Tournée des bars à Vinohrady et Žižkov

À Prague, rien ne vaut ces deux quartiers pour passer une bonne soirée. Les rues animées de Žižkov sont bordées d'un grand nombre de bars et de brasseries. Quant au quartier chic de Vinohrady, on y trouve, entre autres adresses branchées, d'excellents bars à vins et à cocktails.

Départ Vinohradský Parlament ;
M Náměstí Míru

Arrivée Bukowski's ;
🚋 Lipanská

Distance et durée
2,5 km, 1 heure

❶ Pour bien commencer

Idéal pour se mettre en train et rassasier les estomacs affamés, le **Vinohradský Parlament** (p. 130), sur la place de la Paix (náměstí Míru), sert une excellente cuisine de taverne traditionnelle avec une touche moderne, accompagnée des meilleures bières de la brasserie Staropramen.

❷ Soirée au "Musée"

En face de la place de la Paix, le **Prague Beer Museum** (praguebeermuseum.com ; Americká 43 ; ⏰11h-2h lun-jeu, 12h-3h ven-sam ; 📶) succursale d'une chaîne de pubs populaire née dans la Vieille Ville, met les petites bières régionales à l'honneur. Trente marques à la pression, dont des IPA, et cuisine de brasserie correcte.

❸ Vin et élégance à la française

À une station de métro, dans Jiřího z Poděbrad, **Le Caveau** (broz-d.cz ; náměstí Jiřího z Poděbrad 9 ; ⏰8h-22h30 lun-ven, 9h-22h30 sam, 14h-20h30 dim) sert le meilleur choix de crus français, à déguster avec des fromages et des en-cas raffinés.

❹ Cocktails chics

Envie de sophistication ? Le **Bar & Books Mánesova** (barandbooks. cz ; Mánesova 64 ; ⏰18h-3h lun-sam, 18h-2h dim), bar à cocktails haut de gamme, a tous les atouts : salle luxueuse au décor de bibliothèque, alcools haut de gamme, et concerts certains soirs.

❺ Danser au Termix

Pour une ambiance plus débridée, rendez-vous au **Termix** (p. 133), l'un des clubs gays les plus prisés de Prague. Le club est ouvert jusqu'à très tôt le matin ! Vous pourrez y passer toute la nuit à danser.

❻ Petite mousse

Bar de quartier convivial, le **U Sadu** (usadu.cz ; Škroupovo náměstí 5 ; ⏰8h-4h mar-sam, jusqu'à 2h dim-lun) dans la partie la plus embourgeoisée de Žižkov, sert des *půllitry* (chopes) depuis près d'un siècle ; il a fêté ses 90 ans en 2019. Si vous avez un petit creux tardif, ce pourrait bien être la seule adresse où vous sustenter.

❼ Dernier verre

Dans la rue Žižkov, le **Bukowski's** (facebook.com/bukowskisbar ; Bořivojova 86 ; ⏰19h-3h), très prisé des expatriés, porte le nom de l'écrivain américain et buveur invétéré Charles Bukowski. Dans une atmosphère sombre et de légère débauche, et une déco travaillée, les cocktails et les cigares sont de qualité, les barmen sympathiques, et la musique plaisante.

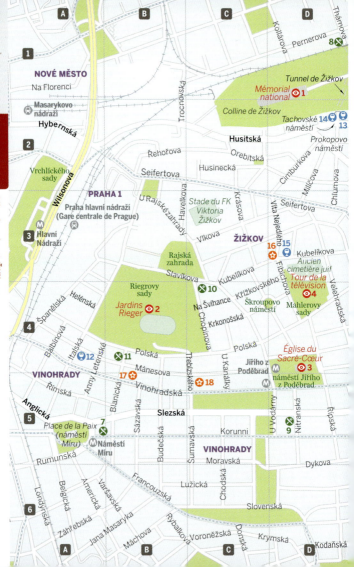

127

Vinohrady et Žižkov

Pražačka

Koněvova

Roháčova

Roháčova
Ostromečská
Žerotínova
Domažlická
Hájkova
Jeseniova

ŽIŽKOV

Rokycanova

Jeseniova

Jana Želivského

Malešická

Havlíčkovo
náměstí

Lipanská
Lupáčova
Prokopova
Táboritská

Parukářka

PRAHA 3

Pitterova

Chelčického

Olšanská

Olšanské náměstí

Ondříčkova

Žižkovo
náměstí

Radhošťská
Sudoměřská
Jičínská

Cimetière d'Olšany
(Olšanské hřbitovy)

Orličká
Baranova
Lucemburská

Přemyslovská

Nouveau
cimetière juif

Flora

Vinohradská

Želivského

Vinohradská
Ilbická
Chrudimská
Hradecká
Plzeňská
Kouřimská

Kouřimská

Slezská

Perunova
Chorvatská

Na Šafránce

Ruská

✗ 6

Žitomírská

Nos adresses	
◉ Voir	p. 128
✗ Se restaurer	p. 130
◑ Prendre un verre	p. 132
✦ Sortir	p. 133

Ⓝ 0 ———————— 400 m

Voir

Mémorial national MUSÉE

1 PLAN P. 126, D1

Guère plus gracieuse qu'une centrale électrique, cette massive structure fonctionnaliste au sommet de la colline de Žižkov dissimule un riche intérieur Art déco rehaussé de marbres, d'ors et de mosaïques. Elle héberge un passionnant musée qui traite de l'histoire nationale du XXe siècle et a un toit-terrasse qui offre une vue panoramique sur la ville.

Bien que datant des années 1930, l'édifice reste pour beaucoup de Pragois lié à la Tchécoslovaquie communiste, en particulier à son premier président Klement Gottwald, dont il fut le mausolée de 1954 à 1962.

Dans la salle centrale du monument – abritant une douzaine de sarcophages en marbre qui contenaient jadis les dépouilles de sommités communistes – se trouve un émouvant **mémorial de guerre** avec des sculptures de Jan Štursa. Y sont exposées des pièces ayant trait à la fondation de la République tchécoslovaque en 1918, à la Seconde Guerre mondiale, au coup de Prague en 1948, à l'invasion soviétique de 1968 et à ses retombées – des images poignantes et quelques objets personnels évoquent Jan Palach qui s'immola par le feu pour protester contre la tutelle soviétique –, et, enfin, à la révolution de Velours en 1989.

À l'étage, vous pourrez visiter la salle des honneurs et le salon présidentiel, mais la partie la plus surprenante est le **laboratoire** sous la salle de la Libération, où des scientifiques se démenèrent pour embaumer le corps de Klement Gottwald. Exposé dans un sarcophage en verre dans la journée, le corps était descendu dans cette crypte carrelée tous les soirs pour de nouveaux soins.

Miminka (*"Maman"*) : les bébés de la tour

Les étranges bébés qui semblent partir à l'assaut de la tour de la télévision de Žižkov faisaient partie d'une installation de 2000 – Prague était alors capitale européenne de la culture. Ils furent retirés à la fin de l'an 2000, mais le public protesta et on les réinstalla. Leur créateur, David Černý, est connu pour les polémiques qui entourent ses œuvres. En 2006, *Shark*, sa sculpture qui représentait Saddam Hussein ligoté dans un aquarium, fut interdite en Belgique et en Pologne, et son installation *Entropa*, réalisée pour marquer l'accession de la République tchèque à la présidence de l'Union européenne en 2009, a fait scandale. Elle représentait en effet les 27 pays de l'UE, réduits à des stéréotypes peu avantageux.

Dans l'angle se trouve la chambre froide où la dépouille de Gottwald était remisée de nuit (la salle est aujourd'hui occupée par ce qui subsiste de son sarcophage).

Des expositions sont organisées, souvent sur le thème de l'histoire tchécoslovaque. (Národní Památník na Vítkově ; ☎ 224 497 600 ; nm.cz ; U Památníku 1900, Žižkov ; expo tarif plein/réduit/-15 ans 80/60 Kč/gratuit ; ⏰10h-18h mer-dim avr-oct, jeu-dim nov-mars ; toit-terrasse 80/50 Kč/gratuit, billet combiné 120/80 Kč/gratuit ; ⏰10h-18h jeu-dim ; 🚍133, 175, 207)

Jardins Rieger
JARDINS

2 ◎ PLAN P. 126, B4

Ce parc est le plus grand et le plus beau du quartier de Vinohrady. Il fut conçu au XIXᵉ siècle dans la tradition des jardins à l'anglaise, et reste un bon endroit pour se promener au vert ou se prélasser dans l'herbe. Un promontoire, au fond du parc, offre un beau point de vue sur le château de Prague. (Riegrovy sady ; entrée par la rue Chopinova, en face de Na Švíhance, Vinohrady ; entrée libre ; ⏰24h/24 ; Ⓜ Jiřího z Poděbrad, 🚊11, 13)

Église du Sacré-Cœur
ÉGLISE

3 ◎ PLAN P. 126, D4

Érigée en 1932 par l'architecte slovène Jože Plečnik (auteur des ajouts modernes au château de Prague), cette église est la plus originale de la capitale. Inspirée par les temples égyptiens et les basiliques paléochrétiennes, elle arbore un clocher massif percé d'une horloge ronde. (Kostel Nejsvětějšího Srdce Páně ; ☎ 222 727 713 ; srdcepane.cz ; náměstí Jiřího z Poděbrad 19, Vinohrady ; entrée libre ; ⏰messes 8h et 18h lun-sam, 9h, 11h et 18h dim ; Ⓜ Jiřího z Poděbrad, 🚊11, 13)

Tour de la télévision
VISITE

4 ◎ PLAN P. 126, D4

Avec ses 216 m, cette tour, plus haut édifice de Prague, est aussi, selon les goûts, son emblème le plus laid ou le plus futuriste. Elle fut érigée entre 1985 et 1992. Ne manquez pas d'approcher d'un peu plus près les bébés de David Černý qui l'escaladent et contemplez la ville depuis les plates-formes d'observation. (Televizní Vysílač ; ☎ 210 320 081 ; towerpark.cz ; Mahlerovy sady 1, Žižkov ; tarif plein/réduit/3-14 ans/famille 250/200-180/160/590 Kč ; ⏰plates-formes d'observation 8h-minuit ; Ⓜ Jiřího z Poděbrad)

Nouveau cimetière juif
SITE

5 ◎ PLAN P. 126, H4

Ce cimetière fut inauguré vers 1890 lorsqu'on ferma le vieux cimetière juif (dominé par la tour de la télévision). Pour rejoindre la **tombe de Franz Kafka**, suivez l'allée principale vers l'est (indiquée), tournez à droite dans l'allée n°21, puis à gauche au mur, et continuez jusqu'au bout du secteur. Les admirateurs de l'écrivain honorent sa mémoire le 3 juin, anniversaire de sa mort. L'entrée est à côté de la station de métro Želivského ; les hommes

Le style de Bruxelles

Lorsque les Tchèques parlent du style de Bruxelles, ils ont à l'esprit la reconnaissance internationale qu'ils obtinrent lors de l'Exposition universelle de Bruxelles en 1958, en dépit des contraintes imposées par le régime communiste. Plus d'une centaine de créateurs furent primés lors de la cérémonie de clôture dans le restaurant du pavillon tchèque, notamment Jaroslav Ježek qui remporta un prix pour son service à café Elka. Les critères esthétiques de cette période se retrouvent dans la décoration du **Café Kaaba** (p. 132). Pour en savoir plus sur l'art de l'époque, rendez-vous au **Palais Veletržní** (p. 136).

---

doivent porter un couvre-chef (des kippas sont disponibles à l'entrée). (Nový židovské hřbitov ; ☎ 226 235 216 ; kehilaprag.cz ; Izraelská 1, Žižkov ; entrée libre ; ⓧ 9h-17h dim-jeu, 9h-14h ven avr-oct, 9h-16h dim-jeu, 9h-ven nov-mars, fermé lors des fêtes juives ; Ⓜ Želivskeho)

Se restaurer

Benjamin   INTERNATIONAL €€€

6 PLAN P. 126, E6

Vršovice manque peut-être de restaurants branchés, mais on y trouve l'une des meilleures tables gastronomiques de Prague. Benjamin ne reçoit que 10 convives par soir autour de son comptoir en fer à cheval. Vous aurez le choix entre un menu de 5 ou 8 plats (accords mets-vins 530/990 Kč), avec des mets originaux inspirés de recettes tchèques. (☎ 774 141 432 ; benjamin14.cz ; Norská 602/14, Vršovice ; menu 5/8 plats 1 290/1 890 Kč ; ⓧ 17h30-19h30 et 20h15-23h30 mer-sam ; 🚊 4, 13, 22)

Vinohradský Parlament   TCHÈQUE €

7 PLAN P. 126, A5

Ce gastropub, clair et lumineux, possède une jolie salle de style Art nouveau et une brigade inventive en cuisine, prompte à délaisser les classiques porc et canard au profit d'autres viandes tchèques traditionnelles comme l'oie, le lapin et le sanglier. Parfait, tant pour le déjeuner que le dîner. Le lieu étant souvent bondé, appelez pour réserver une table. (☎ 224 250 403 ; vinohradskyparlament.cz ; Korunní 1, Vinohrady ; plats 180-250 Kč ; ⓧ 10h45-23h lun, 10h45-23h30 mar-mer, 10h45-minuit jeu-ven, 11h30-minuit sam, 11h30-23h dim ; 📶

Hostinec U Tunelu   TCHÈQUE €

8 PLAN P. 126, D1

À l'entrée du tunnel piétonnier reliant Žižkov et Karlín, cette taverne de style rétro années 1920 est ouverte seulement en semaine et propose des plats du jour (jusqu'à 14h) avec des ingrédients exotiques comme le tzatziki, le gorgonzola et l'avocat. Plus tard, place aux en-cas accompagnant parfaitement la bière Konrad ou Kocour : fromage frit, saucisses au vinaigre et bœuf au raifort, le tout dans une salle à manger sobre, en bois. Espèces uniquement. (224 815 801 ; utunelu.cz ; Thámova 1 ; plats et en-cas 75-149 Kč ; 11h-23h lun-ven ; MKřižíkova, 3, 8, 24)

Kofein   ESPAGNOL €€

9 PLAN P. 126, D5

Tout près de la station de métro Jiřího z Poděbrad, ce restaurant bar à tapas espagnol est l'un des plus tendance du quartier. Une fois descendu dans la salle, on aperçoit le chef s'affairant devant le grill. Nous avons adoré la truite marinée au raifort et la poitrine de porc confite au céleri. Service prompt et sympathique. Pensez à réserver. (273 132 145 ; ikofein.cz ; Nitranská 9, Vinohrady ; assiettes 95-135 Kč ; 11h-minuit lun-ven, 17h-minuit sam-dim ; ; MJiřího z Poděbrad, 10, 11, 13, 16)

The Tavern   BURGERS €

10 PLAN P. 126, C4

Ce restaurant de burgers cosy est l'œuvre d'un couple d'expatriés américains désireux de réaliser le hamburger parfait, mélange de produits bios et de bœuf fermier nourri au foin. Également de délicieux sandwichs au porc effiloché et divers burgers végétariens. Possibilité de réserver via le site Internet. (thetavern.cz ; Chopinova 26, Vinohrady ; burgers 150-350 Kč ;

Café Kaaba (p. 132)

⏰11h30-22h lun-ven, à partir de 11h sam et dim ; 📶 ; Ⓜ Jiřího z Poděbrad, 🚋11, 13)

Pastička   TCHÈQUE €€

11 ❌ PLAN P. 126, B4

Ce chaleureux bar-restaurant, assorti d'une petite cour carrelée à l'arrière, est idéal pour boire une bière ou manger un morceau. La décoration est un heureux mariage entre le Prague des années 1920 et un pub irlandais. On vient surtout pour la bière, mais les plats – tant les spécialités tchèques que les mets internationaux – sont très bons. (📞222 253 228 ; pasticka.cz ; Blanická 25, Vinohrady ; plats 150-400 Kč ; ⏰11h-23h30 lun-sam ; 📶 ; Ⓜ Jiřího z Poděbrad, 🚋11, 13)

Prendre un verre

Café Kaaba   CAFÉ

12 🚆 PLAN P. 126, A4

Cet élégant petit café-bar, aménagé avec un mobilier rétro et décoré de tons pastel, semble tout droit sorti d'un magazine de décoration des années 1960. On y sert un excellent café. (📞réservations 222 254 021 ; kaaba.cz ; Mánesova 20, Vinohrady ; ⏰8h-2h lun-ven, 9h-2h sam, 10h-minuit dim ; 📶 ; 🚋11, 13)

U Slovanské Lípy   PUB

13 🚆 PLAN P. 126, D2

Ce bar de Žižkov, d'apparence quelconque, voit défiler les amateurs de mousse, friands de son large choix de bières artisanales de toute la République tchèque, de la Krušnohor, du nord-ouest reculé du pays, à la Benedict, du monastère de Břevnov, à Prague. (📞734 743 094 ; uslovanskelipy.cz ; Tachovské náměstí 6, Žižkov ; ⏰11h-minuit ; 📶 ; 🚋133, 175, 207)

Planeta Žižkov   PUB

14 🚆 PLAN P. 126, D2

Le légendaire Planet est un merveilleux bar de Žižkov servant des chopes d'Urquell et de Gambrinus bien fraîches, ainsi que des portions gargantuesques de spécialités tchèques comme le fromage frit, le jarret de porc ou le goulasch avec knödels. La décoration est éclectique, avec des écharpes de l'équipe de foot Viktoria Žižkov et des meubles dépareillés. La clientèle se compose majoritairement d'habitants du quartier. (📞222 780 173 ; planetazizkov.cz ; Tachovské náměstí 1 ; ⏰11h-1h lun-sam, 11h-minuit dim ; 🚋133, 175, 207)

U Kurelů   PUB

15 🚆 PLAN P. 126, D3

Ouvert en 1907, cette taverne de Žižkov, bien tenue et plus raffinée que la moyenne, n'a guère changé depuis 1989 : elle arbore encore ses éléments en bois et son éclairage tamisé. Si le menu de burgers, *nachos* et *quesadillas* s'écarte totalement des codes du passé, les bières Urquell et Gambrinus sont toujours là.

L'absinthe

En 1990, l'entreprise tchèque Hill's a judicieusement relancé l'absinthe aux prétendus effets hallucinogènes, en vogue en Suisse et en France au XIXe siècle et longtemps interdite. Aujourd'hui cependant, la "fée verte" connaît un retour en grâce dans ces deux pays, et les fins connaisseurs froncent le nez devant les copies que sont les absinthes tchèques ("Czechsinths").

La plupart des marques tchèques utilisent de l'essence d'absinthe pour diluer le principe actif (l'armoise) plutôt que de procéder par distillation. Si vous souhaitez rapporter une bouteille, optez pour l'excellente mais onéreuse marque Toulouse Lautrec (environ 1 200 Kč dans les boutiques de la ville).

Vous y trouverez également un grand choix de cocktails et de boissons sans alcool. (ukurelu.cz ; Chvalova 1, Žižkov ; 17h-23h ; 🛜 ; 🚋 1, 5, 9, 13, 15, 26)

Sortir

Palác Akropolis   CLUB

16 ⭐ PLAN P. 126, D3

Ce sanctuaire labyrinthique, dédié à la musique et au théâtre alternatifs, est une institution pragoise. Ses différentes salles accueillent une multitude d'événements musicaux et culturels, des soirées DJ aux concerts de quatuor à cordes en passant par les groupes macédoniens, les légendes locales du rock et les talents étrangers, comme Marianne Faithfull, les Flaming Lips et les Strokes. (📞 296 330 913 ; palacakropolis.cz ; Kubelíkova 27, Žižkov ; prix variables ; 19h-5h ; 🛜 ; 🚋 5, 9, 15, 26)

Techtle Mechtle   CLUB

17 ⭐ PLAN P. 126, B5

Un bar apprécié, en sous-sol dans l'artère principale de Vinohrady, où l'on vient danser. Outre le bar à cocktails soigné, l'établissement abrite un restaurant correct et une piste de danse. Des soirées spéciales sont parfois organisées. Arrivez tôt pour obtenir une table bien placée. (📞 222 250 143 ; techtlemechtle.cz ; Vinohradská 47, Vinohrady ; 18h-4h mar-jeu, 18h-5h ven-sam ; 🛜 ; Ⓜ Náměstí Míru, 🚋 4, 10, 13, 16, 22)

Termix   CLUB

18 ⭐ PLAN P. 126, C5

L'un des clubs gays les plus prisés de Prague, à la clientèle composée autant de touristes que de Pragois. La piste, de dimension modeste, se remplit assez vite. (📞 222 710 462 ; club-termix.cz ; Trebízského 4a, Vinohrady ; 22h-6h mer-sam ; Ⓜ Jiřího z Poděbrad, 🚋 11, 13)

Explorer
Holešovice

S'il demeure par endroits quelque peu délabré, cet ancien quartier industriel s'embourgeoise lentement mais sûrement. Le café en plein air, au sommet de la colline de Letná, est un rendez-vous agréable par les chaudes soirées d'été. Quant au palais Veletržní, où sont exposées les collections d'art moderne et contemporain de la Galerie nationale, c'est peut-être le musée le plus injustement méconnu de la capitale.

Notre sélection

◦ **Palais Veletržní (p. 136)**. *Fleuron du quartier, la collection d'art moderne et contemporain de la Galerie nationale.*

◦ **Zoo de Prague (p. 139)**. *Le meilleur zoo du pays est aménagé sur une colline escarpée, sur la rive nord de la Vltava.*

◦ **Musée technique national (p. 139)**. *L'un des meilleurs endroits de la capitale pour les enfants, en particulier les jours de pluie.*

◦ **Jardins de Letná (p. 139)**. *Surplombant le centre historique, ce parc est un lieu fabuleux pour déguster une bière ou dérouler une couverture de pique-nique.*

◦ **Restaurants et vie nocturne (p. 140)**. *Pour les noctambules d'aujourd'hui, Holešovice est le quartier qui monte.*

Comment y aller et circuler

🚋 1, 8, 12, 25, 26 jusqu'à Letenské náměstí ; 1, 6, 8, 12, 25, 26 jusqu'à Strossmayerovo náměstí.

Ⓜ Ligne C jusqu'à Vltavská ou Nádraží Holešovice

Plan de Holešovice p. 138

Palais Schwarzenberg (p. 137) FL1K47/SHUTTERSTOCK ©

Les incontournables 📷
Palais Veletržní

Les collections de la Galerie nationale rassemblent des œuvres d'art du XIXe siècle à nos jours, superbes témoins des mouvements modernes qui ont bouleversé le monde de l'art. Les impressionnistes français, les grands noms comme Egon Schiele, Gustav Klimt et Pablo Picasso, et la génération talentueuse d'artistes tchèques des années 1920 et 1930 sont ainsi bien représentés.

🎯 PLAN P. 138, C3

ngprague.cz

Dukelských hrdinů 47

Tarif plein/réduit
220/120 Kč

🕐 10h-18h mar et jeu-dim, 10h-20h mer

Ⓜ Vltavská, 🚊 1, 6, 8, 12, 14, 17, 25, 26

Collection française

Grâce à un engouement en Bohême pour la peinture française, le 3e étage du musée est particulièrement bien doté en art français des XIXe et XXe siècles. Eugène Delacroix, Auguste Rodin, Claude Monet, Paul Gauguin, Auguste Renoir, Paul Cézanne et Pablo Picasso font partie des artistes représentés. Admirez *Le Gué* (ou *La Fuite,* 1902) de Gauguin et l'*Autoportrait* (1907) de Picasso.

Art tchèque avant-gardiste

Le musée héberge aussi l'une des plus intéressantes collections d'art tchèque du XXe siècle du pays. Parmi ses chefs-d'œuvre figurent les créations de František Kupka, l'un des pionniers de l'abstraction et les peintures, céramiques et mobilier d'artistes cubistes qui offrent un parallèle intéressant avec la scène artistique parisienne de l'époque. Au 2e étage sont exposées des œuvres d'art tchèque plus contemporaines.

Collection internationale

Au 1er étage, l'art international du XXe siècle est à l'honneur. On peut y voir notamment des œuvres de Gustav Klimt, Egon Schiele et Joan Miró pour ne citer qu'eux. Signalons *Les Vierges* sensuelles et colorées de Klimt et, beaucoup plus sombre et prémonitoire, la *Femme enceinte et la mort* de Schiele, réalisée 7 ans avant le décès du peintre et de sa femme en 1918, emportés par l'épidémie de grippe espagnole.

Galerie nationale de Prague

Le palais Veletržní ne représente qu'une branche de la Galerie nationale. Achetez un billet à 500 Kč pour accéder à tous les bâtiments contenant des collections permanentes, notamment le palais Schwarzenberg, le palais Kinský et le couvent Sainte-Agnès.

★ À savoir

o Le musée est immense. Si vous ne disposez que d'une heure ou deux, concentrez-vous sur les œuvres majeures que nous mentionnons.

o Pour les moins de 26 ans l'entrée est libre.

o La boutique du musée vend des cartes postales et des souvenirs.

✗ Une petite pause ?

Commode pour un expresso, le café du musée (10h-18h mar-dim) se situe au rez-de-chaussée.

Juste de l'autre côté de la rue, **U Houbaře** (☏720 625 923 ; u-houbare.cz ; Dukelských Hrdinů 30 ; ⏱11h-minuit ; Ⓜ Vltavská, 🚊1, 6, 8, 12, 14, 17, 25, 26) est un pub à l'ancienne, avec un menu bon marché.

Holešovice

138

Nos adresses

Les incontournables	p. 136
Voir	p. 139
Se restaurer	p. 140
Prendre un verre	p. 141
Sortir	p. 143

500 m

Voir

Musée technique national   MUSÉE

1 PLAN P. 138, B4

Objet d'une rénovation high-tech en 2012, ce musée présente avec brio l'héritage industriel du pays. Aucun risque de s'ennuyer. La visite commence dans le hall principal rempli jusqu'au plafond d'avions, de trains et d'automobiles d'autrefois. D'autres salles sont festonnées d'objets relatifs à l'astronomie, la photographie, l'impression ou l'architecture. (Národní Technické Muzeum ; 220 399 111 ; ntm.cz ; Kostelní 42 ; tarif plein/réduit 250/130 Kč ; 9h-18h mar-dim ; P ; 1, 6, 8, 12, 14, 17, 25, 26)

Jardins de Letná   PARC

2 PLAN P. 138, B4

Ces charmants jardins, vaste parc implanté sur un promontoire dominant la Vltava, au nord de la Vieille Ville, ont l'attrait d'un splendide point de vue sur la ville, le fleuve et les ponts. L'endroit est idéal pour les balades ou pour prendre un verre dans le café en plein air (p. 141) installé à l'extrémité est du parc. Depuis la Vieille Ville, remontez jusqu'à l'extrémité nord de Pařížská ulice, traversez le pont, puis empruntez l'escalier. Ou prenez le tram jusqu'à Letenské náměstí et marchez environ 10 minutes vers le sud. (Letenské sady ; entrée libre ; 24h/24 ; 1, 8, 12, 25, 26 jusqu'à Letenské náměstí)

Parc des expositions Výstaviště   LOISIRS

3 PLAN P. 138, C1

Un peu délabré, cet immence ensemble d'attractions et de bâtiments fut créé pour l'exposition du jubilé de 1891. Aujourd'hui, il accueille principalement des salons (voir le calendrier sur le site Internet), mais aussi une section du Musée national et le plus grand aquarium de la ville. (220 103 111 ; incheba.cz ; Areál Výstaviště, Bubeneč ; 9h-23h ; 12, 17)

Zoo de Prague

Au nord de Holešovice, dans le quartier de Troja, le **zoo** (Zoo Praha ; hors plan ; 296 112 230 ; www.zoopraha.cz ; U Trojského zámku 120, Troja ; tarif plein/réduit/famille 250/200/800 Kč ; 9h-21h juin-août, 9h-18h avr, mai, sept et oct, 9h-17h mars, 9h-16h nov-fév ; 112, M Nádraží Holešovice) occupe un domaine boisé de près de 60 ha sur les berges de la Vltava. Il héberge les habituels girafes et gorilles, mais son troupeau de chevaux de Przewalski fait sa grande fierté. Sur place également : téléphérique miniature et aire de jeux.

Parc Stromovka

Terrain de chasse royal au Moyen Âge, le **parc Stromovka** (plan p. 138, A2 ; Královská obora ; entrée rue Výstaviště ou 21 Nad Královskou oborou, Bubeneč ; ⏱24h/24 ; 🚊1, 8, 12, 25) est le plus grand espace vert de Prague. Les adeptes de footing, de vélo ou de rollers s'y donnent rendez-vous. Les enfants escaladeront les grosses branches noueuses de vieux arbres morts ou joueront dans les aires de jeux, tandis que les adultes admireront le superbe parterre de tulipes au printemps.

Se restaurer

The Eatery TCHÈQUE €€
4 🍴 PLAN P. 138, F1

De loin le meilleur restaurant de l'est de Holešovice. Dans un cadre sophistiqué des plats à base d'ingrédients locaux et de saison sortent de la cuisine ouverte. Spécialités tchèques rehaussées d'une touche de modernité – bœuf braisé à la purée de pommes de terre et au crumble de moelle, ou encore faisan. La carte des vins est délicieusement longue. (📞603 945 236 ; theeatery.cz ; U Uranie 18 ; plats 200-350 Kč ; ⏱11h30-15h30 et 17h30-23h mar-ven, 17h30-23h sam ; 📶 ; Ⓜ Nádraží Holešovice, 🚊6, 12)

Salt'n'Pepa Kitchen BURGERS €
5 🍴 PLAN P. 138, C3

Ces burgers gastronomiques ont du succès grâce à de multiples variations à la place du steak haché : halloumi, porc effiloché ou poulet frit au babeurre. Les boissons sont servies dans un cadre de *diner* américain. (📞704 179 803 ; saltnpepa.cz ; Milady Horákové 22 ; burgers 175-195 Kč ; ⏱11h-22h lun-mar, 11h-23h mer-ven, 10h-22h sam, 10h-20h dim ; 🚊1, 6, 8, 12, 17, 25, 26)

Pivovar Marina ITALIEN €€€
6 🍴 PLAN P. 138, F1

Une alliance improbable mais réussie entre une excellente microbrasserie tchèque et le meilleur de la cuisine italienne. Côté boisson, notre préférence va à la bière blanche et à la blonde Přístavní 10°. Côté assiette, des pâtes succulentes et des plats comme le steak de bœuf Wagyu. Aux beaux jours, les tables disposées dehors offrent une vue plaisante sur la rivière. (📞220 571 183 ; pivovarmarina.cz ; Jankovcova 12 ; plats 490-2 500 Kč ; ⏱11h-minuit, cuisine jusqu'à 23h ; 📶 ; 🚊6, 12)

Phill's Corner INTERNATIONAL €
7 🍴 PLAN P. 138, F2

Dans un coin de rue, ce restaurant lumineux et moderne tire son inspiration du passé industriel de Holešovice et ses prouesses culinaires du monde entier, avec entre autres des saveurs asiatiques et moyen-orientales. À midi, le menu du jour met tout le monde d'accord : une soupe et un plat pour environ 150 Kč. (📞 731 836 988 ; phillscorner.cz ; Komunardů 32 ; plats 135-180 Kč ; 🕘 7h30-22h lun-ven, 9h-22h dim ; 📶 🍴 ; 🚋 1, 6, 12, 14, 25)

Tràng An Restaurace
VIETNAMIEN €

8 🍴 PLAN P. 138, E3

Le **marché de Prague** de Holešovice (📞 220 800 592 ; Bubenské nábřeží 306 ; 🕘 7h30-17h lun-ven, 7h30-14h sam) est en triste état, mais ce discret restaurant vietnamien est une bonne raison de venir y faire un tour.

Faites la queue au comptoir et commandez à partir de la grande carte illustrée. Nombreuses tables à l'intérieur et, par beau temps, tables de pique-nique à l'extérieur. Allez-y avant ou après les heures normales de repas pour éviter l'attente. (📞 220 560 041 ; facebook.com/asijskebistropodosmickou ; Bubenské nábřeží 306, bâtiment 5, Holešovická tržnice/Pražská tržnice ; plats 100-130 Kč ; 🕘 10h-20h lun-sam ; Ⓜ Vltavská, 🚋 1, 12, 14, 25)

Prendre un verre

Letná Beer garden
EN PLEIN AIR

9 🍺 PLAN P. 138, B4

Une tournée des bars du quartier ne saurait être complète sans une halte au meilleur *beer garden* de la ville, jouissant d'un somptueux

Cross Club (p. 143)

Centre DOX
pour l'art contemporain

C'est en grande partie cette galerie alternative, **DOX** (plan p. 138, F1 ; ☎295 568 123 ; dox.cz ; Poupětova 1 ; tarif plein/réduit 210/120 Kč ; ⏱10h-18h lun, sam-dim, 11h-19h mer et ven, 11h-21h jeu ; Ⓜ Nádraží Holešovice, 🚋6, 12) que Holešovice doit sa réputation grandissante de quartier parmi les plus branchés de Prague. Les expositions privilégient les arts et médias actuels, dont la vidéo, la sculpture, la photographie et la peinture. À l'étage, on trouve un café et une excellente librairie, bien fournie en ouvrages d'art et d'architecture.

panorama, à l'extrémité orientale des jardins de Letná (p. 139). Achetez une bière au petit kiosque et installez-vous à une table de pique-nique. D'autres kiosques vendent des chips, des sandwichs et autres en-cas. (☎233 378 200 ; letenskyzamecek.cz ; Letenské sady 341 , ⏱11h-23h mai-sept ; 🚋1, 8, 12, 25, 26)

Vnitroblock CAFÉ

 PLAN P. 138, F3

Voici l'adresse la plus cool de Holešovice en journée, cachée à l'arrière d'un bâtiment industriel. C'est à la fois un restaurant éphémère, un magasin de baskets, un café et, avec ses œuvres contemporaines sur les murs, une galerie d'art. Les chiens sont couchés sous les tables pendant que leurs maîtres pianotent sur leurs ordinateurs portables, et il y a aussi de multiples espaces où se relaxer. (☎770 101 231 ; vnitroblock.cz ; Tusarova 31 ; ⏱12h-22h lun, 9h-22h mar-sam, 9h-20h dim ; 📶🐾 ; 🚋1, 6, 12, 14, 25)

Cobra BAR

11 🚇 PLAN P. 138, C3

À la fois café, table pour déjeuner et bar ouvert tard le soir : tout le monde trouve son bonheur grâce aux très bons thés et cafés, aux bières microbrassées et aux cocktails bien dosés. La soupe du jour et les plats sont délivrés depuis la cuisine ouverte. Options véganes. (☎777 355 876 ; barcobra.cz ; Milady Horákové 8 ; ⏱8h-1h lun, 8h-2h mar-ven, 10h-2h sam, 10h-1h dim ; 📶 ; 🚋1, 6, 8, 12, 17, 25, 26)

Fraktal BAR

 PLAN P. 138, A3

Ce bar en sous-sol, près de Letenské náměstí, est de loin le plus accueillant de ce côté de la Vltava. C'est d'ailleurs un repaire d'expatriés. On y mange une bonne cuisine de bar, notamment des burgers (plats 140 Kč à 300 Kč). Seul bémol : l'heure de fermeture (dernières commandes à 23h30). (☎777 794 094 ; facebook.com/fraktalbar ; Šmeralová 1, Bubeneč ; ⏱11h-minuit ; 📶 ; 🚋1, 8, 12, 25, 26)

Kavárna Liberál
CAFÉ

13 🚇 PLAN P. 138, D3

Ce café à la viennoise parvient à cristalliser l'ambiance du Prague des années 1920. En journée, c'est un endroit paisible pour profiter du Wi-Fi le temps d'un café ; en soirée, l'aspect pub prend le dessus. Des concerts sont régulièrement organisés au sous-sol. La carte annonce café, bière, vin et plats légers comme des salades et des omelettes. Il y a généralement d'excellents gâteaux, cheesecake ou strudel aux pommes par exemple. (📞732 355 445 ; facebook.com/kavarnaliberal ; Heřmanova 6 ; 🕐8h-minuit lun-ven, 9h-minuit sam, 10h-minuit dim ; 🛜 ; Ⓜ Vltavská, 🚊1, 6, 8, 12, 14, 17, 25, 26)

Sortir

Cross Club
CLUB

14 ⭐ PLAN P. 138, E1

Industriel dans tous les sens du terme, le Cross Club est installé dans une zone industrielle de Holešovice, et sa musique aux pulsations lancinantes (concerts et DJ) s'accorde au cadre – un fouillis de gadgets, de puits d'aération, de manivelles et de tuyaux, dont beaucoup clignotent sur les rythmes. Le club organise à l'occasion des concerts, des représentations théâtrales et autres happenings. Également un café ouvert de 14h à 2h. (📞réservations

775 541 430 ; crossclub.cz ; Plynární 23 ; spectacles 100-200 Kč ; 🕐18h-5h ; 🛜 ; Ⓜ Nádraží Holešovice, 🚊6, 12)

Jatka 78
ARTS DU SPECTACLE

15 ⭐ PLAN P. 138, E3

Installé dans un ancien abattoir du marché de Prague de Holešovice (p. 141), cet espace alternatif accueille des spectacles allant de la danse au cirque en passant par l'acrobatie ; beaucoup sont adaptés aux enfants. La bonne idée : commandez de quoi grignoter au bistrot avant ou après la représentation – les prix des sandwichs, pâtes et autres plats sont raisonnables et il y a une aire de jeux. (📞réservations 775 402 027 ; jatka78.cz ; Bubenské nábřeží 306, hall 17, Pražská tržnice ; 🕐billetterie 10h-minuit lun-sam, 1 heure 30 avant les spectacles dim ; 🚼 ; Ⓜ Vltavská, 🚊1, 12, 14, 25)

La Fabrika
ARTS DU SPECTACLE

16 ⭐ PLAN P. 138, F2

"La Fabrique" est en réalité un ancien entrepôt de peinture, converti en espace artistique expérimental qui accueille selon les soirs musique live (jazz ou cabaret), théâtre, danse ou films. Consultez le programme sur le site Internet. Pensez à réserver. (📞604 104 600, 774 417 644 ; lafabrika.cz ; Komunardů 30 ; 200-400 Kč ; 🕐billetterie 14h-19h30 lun-ven ; 🚊1, 6, 12, 14, 25)

Carnet pratique

Avant de partir — 146
Hébergement 146
Quand partir 146

Arriver à Prague — 147
Aéroport Václav-Havel de Prague 147
Gare centrale de Prague 147
Gare routière de Florenc 148

Comment circuler — 148
Métro 148
Tram et bus 148
Taxi 149

Infos pratiques — 149
Ambassade et consulats 149
Argent 149
Cartes de réduction 149
Électricité 150
Formalités et visa 150
Handicapés 150
Heures d'ouverture 151
Homosexualité 151
Jours fériés 151
Offices du tourisme 151
Sécurité 151
Téléphone 152
Toilettes 152
Urgences 152

Langue — 153

Gare centrale de Prague (p. 147) Petr Svoboda/shutterstock ©

Avant de partir

Hébergement

o Malá Strana est très agréable, mais n'hésitez pas à chercher dans des quartiers plus périphériques, comme Vinohrady, Smíchov ou Holešovice : le centre-ville est accessible en transports en commun.

o Pour faire des économies, louez une chambre simple ou double en auberge de jeunesse. Beaucoup sont d'un excellent rapport qualité/prix.

Sites Internet

Mary's Travel & Tourist Service (222 253 511 ; marys.cz ; Anny Letenské 17, Vinohrady ; 9h-19h lun-ven, 10h-17h sam-dim ; M Jiřího z Poděbrad). Hébergements pour tous les budgets.

Navratilova Prague Apartments (604 168 756 ; prague-apartment.com). Service en ligne. Appartements confortables avec mobilier fonctionnel.

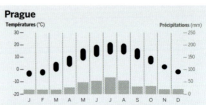

Quand partir

o **Printemps (avr-juin)** Hébergements pris d'assaut à Pâques et lors du Festival du Printemps de Prague (mai).

o **Été (juil-août)** Mois ensoleillés. Tous les sites sont ouverts.

o **Automne (sept-oct)** Les températures se rafraîchissent. Certains sites ferment le 1er octobre pour l'hiver.

o **Hiver (nov-mars)** Cohue pour les fêtes de Noël malgré la neige et les tempêtes occasionnelles.

Petits budgets

o **Sir Toby's Hostel** (sirtobys.com). Dortoirs dans un immeuble d'habitations, avec cuisine spacieuse et salle commune.

o **Sophie's Hostel** (sophieshostel.com). Auberge de jeunesse au cadre contemporain.

o **Ahoy! Hostel** (ahoyhostel.com). Auberge de jeunesse tranquille, conviviale, et personnel aux petits soins.

o **Prague Central Camp** (praguecentralcamp.com). Camping le plus central de Prague, à Žižkov.

o **ArtHarmony** (artharmony.cz).

Pension centrale à la décoration recherchée.

Catégorie moyenne

o **Domus Henrici** (domus-henrici.cz). Calme et près du château.

o **Mama Shelter Prague** (parkhotel-praha.cz). Hôtel design à Holešovice.

o **Icon Hotel** (iconhotel.eu). Hôtel design agréable et bien équipé.

o **Hunger Wall Residence** (hungerwall.eu). Appartements dans une résidence centrale.

o **Dům u velké boty** (dumuvelkeboty.cz). Pension de charme donnant sur une place paisible.

Catégorie supérieure

- **Golden Well Hotel** (goldenwell.cz). Hôtel historique de luxe, sous les remparts du château.
- **Hotel Aria** (ariahotel.net). Le luxe d'un cinq-étoiles sur le thème de la musique.
- **Dominican Hotel** (axxoshotels.com/the-dominican). Dans un ancien monastère, un hôtel de caractère.
- **Alcron Hotel** (alcronhotel.com). Hôtel de luxe et restaurant étoilé.
- **Le Palais** (lepalaishotel.eu). Hôtel de luxe Belle Époque.

Arriver à Prague

Aéroport Václav-Havel de Prague

Aéroport international (ancien aéroport de Prague-Ruzyně ; prg.aero ; K letišti 6, Ruzyně ; 🛜 ; 🚌 100, 119). À 17 km à l'ouest du centre-ville.

- **Bus Airport Express (AE)**. Circule entre l'aéroport et la gare principale toutes les 30 minutes de 5h à 21h30. Le billet (60 Kč) s'achète à bord.
- **Fix Taxi** (fix-taxi.com/). La compagnie de taxis officielle de l'aéroport. Comptez environ 600 Kč pour náměstí Republiky.
- **Bus 119**. Va jusqu'à la station de métro la plus proche de l'aéroport, Nádraží Veleslavín (ligne A). Un trajet pour le centre-ville coûte 32/16 Kč tarif plein/réduit, supplément bagages 16 Kč.

Depuis la France

- Vols depuis Paris, Lyon, Nantes, Nice, Toulouse ou Marseille. Depuis Paris (durée 1 heure 45), comptez à partir de 130 € l'A/R, moins sur un vol low cost.
- **Air France** (airfrance.fr), **Czech Airlines** (ČSA ; csa.cz), **Hop!** (hop.com), **Transavia** (transavia.com), **Smartwings** (smartwings.com/fr), **Volotea** (volotea.com/fr), et **Vueling** (vueling.com) se partagent l'essentiel des vols directs.

Depuis la Belgique

- **Czech Airlines** (ČSA ; csa.cz), et **Brussels Airlines** (brusselsairlines.com) assurent la liaison Bruxelles-Prague (durée 1 heure 30) à partir de 100 € l'A/R.

Depuis la Suisse

- Vols directs Prague-Genève (durée 1 heure 30) ou Zurich (1 heure 20) avec **Swiss** (swiss.com) à partir de 150 FS.

Depuis le Canada

- Vols directs Toronto-Prague (durée 10-11 heures, A/R à partir de 750 $C) avec **Air Canada** (aircanada.ca) ou via Toronto et/ou une ville européenne comme Zurich ou Francfort. Autre solution : passer par New York (New York-Prague à 650 $C)

Gare centrale de Prague

Pratiquement tous les trains internationaux arrivent à la gare centrale de Prague, **Praha hlavní nádraží** (cd.cz ; Wilsonova 8, Nové Město ; Ⓜ Hlavní nádraží), reliée au reste de la ville par la ligne C du métro.

Certains trains arrivent à l'autre grande gare de Prague, **Praha-Holešovice** (Nádraží Holešovice ;

☎ 840 112 113 ; cd.cz ;
Vrbenského, Holešovice ;
Ⓜ Nádraží Holešovice),
reliée à la station
Nádraží Holešovice
de la ligne C du métro.

České dráhy (ČD ;
cd.cz), la compagnie
ferroviaire nationale
tchèque, est intégrée
au réseau ferré
européen et est
bien reliée aux pays
frontaliers. Toutefois,
se rendre à Prague
en train depuis
Paris, ou Bruxelles,
demande plusieurs
correspondances
et prend au moins
13 heures. En revanche,
un train de nuit direct
relie quotidiennement
Zurich à Prague en
13 heures 15 : voir le
site des **Chemins de
fer fédéraux suisses**
(sbb.ch).

Gare routière
de Florenc

La quasi-totalité des
bus internationaux
empruntent la **gare
routière de Florenc**
(ÚAN Praha Florenc ; ☎ 221
895 555 ; florenc.cz ;
Pod výtopnou 13/10,
Karlín ; ⏲ 5h-minuit ; 📶 ;
Ⓜ Florenc), desservie
par les lignes B et C du
métro. Des compagnies
internationales comme

Flixbus (global.flixbus.
com), **RegioJet** (regiojet.
cz) et **Eurolines** (eurolines.
de/fr) ont leur agence
dans cette gare.

Comment circuler

Prague a un excellent
**système de
transports publics**
(dpp.cz). La Vieille Ville et
le quartier du Château,
assez compacts, se
découvrent facilement
à pied. Les temps de
trajet entre les arrêts
de tram sont indiqués
à chaque arrêt et sur
dpp.cz.

Métro

○ Circule de 5h à minuit.

○ Ligne A (verte), entre
Nemocnice Motol à
l'ouest et Depo Hostivař
à l'est ; la ligne B (jaune),
entre Zličín au sud-
ouest et Černý Most au
nord-ouest ; et la ligne C
(rouge) entre Háje
au sud-est et Letňany
au nord.

○ Il faut composter son
ticket (*jízdenka* ; voir
l'encadré ci-contre) dans
les boîtiers jaunes dans
le hall de la station de

métro ou dans le bus
ou le tramway au départ.

○ Il faut des pièces de
monnaie pour utiliser les
distributeurs de tickets
des stations de métro
et des principaux arrêts
de tramway. Les tickets
sont aussi en vente
dans les kiosques à
journaux, dans certains
hôtels, dans les offices
du tourisme et aux
guichets des stations
de métro. Certaines
machines permettent le
paiement sans contact,
mais les banques
étrangères prélèvent
une commission élevée
pour ce service.

Tram et bus

○ Les lignes de tramway
les plus utiles aux
touristes sont la 22/23
(château de Prague,
Malá Strana et pont
Charles), les 17 et 18
(quartier juif et place
de la Vieille Ville) et la 11
(Žižkov et Vinohrady).

○ Trams et bus (dpp.cz)
circulent tous les jours
de 5 h à minuit. De nuit,
les tramways n°91 à 99
et des bus 901 à 915
prennent le relais.

○ La station Lazarská, à
Nové Město, est la station
de correspondance pour
les lignes de nuit. Mieux

Tickets et forfaits

Les tickets sont les mêmes pour le métro, le tramway et le bus. Ils s'achètent dans les stations de métro et chez les marchands de journaux, jamais à bord. Si vous séjournez au moins une journée, il est plus simple d'acheter un forfait 1 ou 3 jours.

Ticket trajet court 30 minutes ; tarif plein/réduit 24/12 Kč.

Ticket classique 1 heure 30 ; tarif plein/réduit 32/16 Kč.

Forfait 1 jour 24 heures ; tarif plein/réduit 110/55 Kč.

Forfait 3 jours 72 heures ; tarif unique 310 Kč.

Ticket bagages Pour les bagages volumineux (16 Kč).

---

vaut vérifier où se situe votre hôtel par rapport à ces services si vous rentrez tard.

○ Peu de stations de bus ou de tramway vendent des tickets. Il faut les acheter dans une station de métro ou à un kiosque à journaux.

Taxi

○ Repérez les stations "Taxi Fair Place" dans les zones touristiques, garants de prix et de conducteurs honnêtes. Les chauffeurs sont tenus de donner une estimation du prix de la course avant de partir et doivent mettre leur compteur en marche.

○ En centre-ville, une course coûte de 150 à 200 Kč ; pour se rendre en banlieue, comptez 450 Kč

maximum, et de 600 à 700 Kč pour l'aéroport.

AAA Radio Taxi (🕿 222 333 222 ; aaataxi.cz)

Infos pratiques

Ambassade et consulats

Belgique (🕿 257 533 525 ; czechrepublic. diplomatie.belgium.be/fr ; Valdštejnská 6, Malá Strana ; Ⓜ Malostranská)

Canada (🕿 272 101 800 ; facebook.com/Canadaen Republiquetcheque ; Ve struhách 95/2, Bubeneč ; 🚃 131, arrêt Nemocnice Bubeneč)

France (🕿 251 171 711 ; cz.ambafrance.org; Velkopřevorské náměstí 2,

Malá Strana ; 🚃 12, 15, 20, 22, 23 jusqu'à Malostranské Náměstí)

Suisse (🕿 220 400 611 ; eda.admin.ch/prag ; Pevnostní 7, Dejvice ; 🚃 1, 2, 18, 36)

Argent

○ Cartes bancaires communément acceptées. DAB nombreux.

○ La couronne tchèque (*Koruna* č*eská*, ou Kč) se divise en 100 *halé*ř*ů* (h), pièces minuscules qui ne sont plus en circulation. Les prix sont parfois indiqués en fractions de couronne : le total est alors arrondi à la couronne supérieure.

Cartes de réduction

○ Si vous prévoyez de visiter plusieurs

musées, la Prague Card (praguecoolpass.com) donne un accès gratuit ou à tarif réduit à environ 50 sites dont le château de Prague, l'ancien hôtel de ville, les musées de la Galerie nationale, le Musée juif, la tour panoramique de Petřín et Vyšehrad.

○ La carte est valable de 2 à 4 jours et coûte 1 840/1 320 Kč par adulte/enfant pour 2 jours.

○ On peut l'acheter dans différents musées, sites touristiques privés et boutiques ou en ligne.

Électricité

Type C
220 V/50 Hz

Type E
220 V/50 Hz

Formalités et visa

Les citoyens des pays de l'UE et les ressortissants suisses n'ont pas besoin d'un visa pour visiter la République tchèque ; carte d'identité ou passeport valides suffisent. Les ressortissants canadiens peuvent séjourner 90 jours dans le pays sans visa. Si le séjour excède 30 jours, tout étranger doit toutefois s'enregistrer auprès de la Police des étrangers de la région où il réside.

Handicapés

Prague et la République tchèque sont à la traîne pour répondre aux besoins des voyageurs handicapés. Cependant, les transports publics de Prague aménagent gares et stations pour les rendre accessibles en fauteuil roulant. Plus d'infos sur dpp.cz.

○ **Organisation des usagers en fauteuils roulants de Prague** (Pražská organizace vozíčkářů ; plan p. 68, F3 ; 📞224 826 078 ; presbariery.cz ; Benediktská 6 ; 🕘9h-16h lun-jeu, 9h-15h ven ; Ⓜ Náměstí Republiky). Œuvre à l'amélioration des conditions des handicapés.

○ L'**Union des malvoyants tchèques** (Sjednocená Organizace Nevidomých a Slabozrakých v ČR ; Plan p. 112, F2 ; 📞221 462 462 ; sons.cz ; Krakovská 21, Nové Město ; 🕘9h-12h et 14h-16h30 lun ; Ⓜ Muzeum). Fournit des informations (mais pas de services).

○ **Accessible Prague** (accessibleprague.com). Conseils adaptés et services.

○ En France, voyez auprès de l'**APF France handicap** (📞01 40 78 69 00 ; apffrancehandicap.org), **Yanous** (yanous.com), **Tourisme & Handicaps**

Pour ne pas trop dépenser

- La bière locale est beaucoup moins onéreuse que le vin.
- Utilisez les DAB pour retirer des couronnes (évitez le change à l'aéroport).
- Au théâtre, les places les moins chères coûtent dans les 200 Kč.

(tourisme-handicaps.org), **Handicap.fr** (handicap.fr) et **Hizy** (hizy.org).

Heures d'ouverture

Banques 9h-16h lun-ven

Bars et clubs 11h-1h ou plus

Magasins 8h30-20h lun-ven, 8h30-18h sam-dim

Poste principale 14h-minuit

Restaurants 10h-23h, les cuisines ferment souvent vers 22h

Homosexualité

Prague est une destination plutôt tolérante envers les LGBT. L'homosexualité est légale et depuis 2006, les couples de même sexe peuvent conclure une union civile. La communauté homosexuelle est très vivante dans la capitale, notamment à Vinohrady. Gaypride en août (praguepride.cz).

Travel Gay Europe (travelgay.com). Infos sur Prague.

Prague Saints (praguesaints.cz). Un bar recommandé et un site plein de bonnes infos.

Jours fériés

Nouvel An 1er janvier

Lundi de Pâques mars/avril

Fête du Travail 1er mai

Fête de la Libération de 1945 8 mai

Saints-Cyrille-et-Méthode 5 juillet

Martyre de Jan Hus 6 juillet

Fête nationale 28 septembre

Fête de la République 28 octobre

Fête de la Liberté et de la Démocratie 17 novembre

Veille de Noël 24 décembre

Noël 25 décembre

Saint-Étienne 26 décembre

Offices du tourisme

Prague City Tourism (prague.eu) a plusieurs antennes :

aéroport (221 714 714 ; Terminaux 1 et 2 ; 8h-20h ; 100, 119)

dans Rytírská (plan p. 84, D3; 221 714 714 ; Rytírská 12 ; 9h-19h ; Můstek)

place de la Vieille Ville (plan p. 84, C2; 221 714 714 ; Staroměstské náměstí 5, ancien hôtel de ville ; 9h-19h ; Staroměstská)

place Venceslas (221 714 714 ; Václavské náměstí 42 ; 10h-18h ; Můstek, Muzeum)

Sécurité

Il y a peu de criminalité à Prague, mais les pickpockets et autres auteurs de menus larcins sévissent dans les zones touristiques. En cas de vol, portez plainte auprès du commissariat le plus proche. Si vous avez

Un fil d'Ariane en voyage

Vous êtes ressortissant français ? Pensez à vous enregistrer sur le **portail Ariane** (pastel.diplomatie.gouv.fr/fildariane) du ministère des Affaires étrangères. Ce service gratuit vous permet de recevoir des alertes si la situation le justifie. Crise politique, catastrophe naturelle, attentat… recevez en temps réel des consignes de sécurité lors de votre voyage.

Il existe une application pour les Smartphones et les tablettes, intitulée *Conseils aux voyageurs*.

du mal à vous faire comprendre, adressez-vous au **bureau de police** (☎ 974 851 750 ; Jungmannovo náměstí 9 ; Ⓜ Můstek) situé près de la place Venceslas, qui dispose d'interprètes.

Pensez bien à conserver tous les documents dont vous aurez besoin pour vous faire rembourser par votre assurance.

Téléphone

La plupart des numéros tchèques, fixes comme mobiles, comptent 9 chiffres. Il n'existe pas d'indicatif de ville ou de région.
○ Pour appeler l'étranger depuis Prague, composez le code international (☎ 00),

le code du pays (☎ 33 pour la France, ☎ 32 pour la Belgique, ☎ 41 pour la Suisse et ☎ 1 pour le Canada), le code régional (sans le zéro initial) et enfin le numéro.

○ Pour appeler Prague depuis l'étranger, composez le code de l'accès international en vigueur dans votre pays (☎ 00 depuis la France), puis le ☎ 420 (code pays de la République tchèque) et terminez par le numéro à neuf chiffres de votre correspondant.

Toilettes

Les toilettes publiques sont gratuites

dans les salles de concerts, les musées, les restaurants, les centres commerciaux et les trains. Partout ailleurs, il faut payer – y compris dans les gares et dans les stations de métro. Les toilettes hommes sont indiquées par *muži* ou *páni*, les toilettes femmes par *ženy* ou *dámy*.

Urgences

Numéro européen des services d'urgence	☎ 112
Urgences médicales, ambulance	☎ 155
Police	☎ 158
Pompiers	☎ 150

Langue

Le tchèque appartient à la famille occidentale des langues slaves. Sa prononciation n'est pas facile car certains sons n'existent pas en français. Parmi les particularités du tchèque assez difficiles à maîtriser pour un francophone, on trouve le ř (un "r" roulé suivi d'un "j" comme dans "large") ou encore la succession de mots sans voyelles. En revanche, cette langue se parle généralement comme elle s'écrit et chaque lettre a toujours le même son si bien qu'on peut se familiariser avec sa prononciation rapidement.

Avec un peu de pratique et en lisant la prononciation indiquée au regard de chaque mot comme s'il s'agissait du français, vous arriverez à vous faire comprendre. Veillez à accentuer la première syllabe des mots, indiquée en italique dans ce chapitre, et à prononcer chaque voyelle coiffée d'un accent plus longuement. Le masculin et le féminin sont signalés par m/f.

Civilités

Bonjour/Bonsoir.
Dobrý den/   do·bri·den
Dobrý večer.   do·bri·ve·tcher

Bonjour/Salut.
Ahoj/Čau.   a·hoï/tchao

Au revoir.
Na shledanou.   na·chlé·da·nou

Excuse(z)-moi.
Promiňte.   pro·min'·té

Pardon !
Pardon!   par·don

S'il vous (te) plaît.
Prosím.   pro·sîm

Merci.
Děkuji.   dyé·kou·yi

Oui./Non.
Ano./Ne.   a·no/né

Parlez-vous anglais ?
Mluvíte   mlou·vî·te
anglicky?   an·glits·ki

Je ne comprends pas.
Nerozumím.   né·ro·zou·mîm

À table

Je voudrais..., s'il vous plaît. (m/f)
Chtěl/Chtěla   Chtyél/*Chtyé·*la
bych..., prosím.   biRh ... pro·sîm

une table   *stůl*   stoul
    pour (deux)   pro (dva)   pro (dva)

ce plat   *ten pokrm*   ten po·krm

la carte   *nápojový*   na·po·yo·vî
des boissons   *lístek*   lîs·tèk

le menu
jídelníček   yî·dél· nî·tchèk

café   *kavárna*   ka·var·na

déjeuner   *oběd*   o·byed

dîner   *večeře*   ve·tche·rje

L'addition s'il vous plaît.
Prosím   pro·sîm
přineste   prjhi·nes·te
účet.   oû·tchet

Santé !
Na zdraví!   na zdra·vî

C'était délicieux !
To bylo lahodné!   to bi·lo la·hod·nê

Shopping

Je cherche...
Hledám...   *hlé·dám...*

Combien est-ce que ça coûte ?
Kolik to stojí?   *ko·lik to sto·yî*

C'est trop cher.
To je moc drahé.   *to yé mots dra·hê*

Pouvez-vous faire un prix ?
Můžete mi   *mou·jé·te mi snížit*
cenu?   *snî·jit tsé·nou*

Heure et chiffres

Quelle heure est-il ?
Kolik je hodin?   *ko·lik yé ho·dyin*

Il est (10) heures.
Je (deset) hodin.   *ye (de·set) ho·din*

10 heures et demie.
Půl jedenácté.   *poul ye·de·nats·tê*

À quelle heure ?
V kolik hodin?   *f ko·lik ho·dyin*

matin	*ráno*	*ra·no*
après-midi	*odpoledne*	*ot·po·lèd·né*
soir	*večer*	*ve·tcher*
hier	*včera*	*ftche·ra*
aujourd'hui	*dnes*	*dnes*
demain	*zítra*	*zî·tra*

1	*jeden*	*yé·den*
2	*dva*	*dva*
3	*tři*	*trji*
4	*čtyři*	*tchti·rji*
5	*pět*	*pyét*
6	*šest*	*chést*
7	*sedm*	*sé·dm*
8	*osm*	*o·sm*
9	*devět*	*dé·vyét*
10	*deset*	*dé·sét*

Transports et orientation

Où est... ?
Kde je...?   *gdé yé ...*

Pouvez-vous me montrer (sur la carte) ?
Můžete   *mou·jé·té mi to*
ukázat   *mi to ou·ka·zat*
(na mapě)?   *(na ma·pé)*

Un billet pour..., s'il vous plaît.
Jízdenku   *yîz·dèn·kou do...,*
prosim.   *do ... pro·sîm*

À quelle heure part le bus/le train ?
V kolik hodin   *f ko·lik*
ho·dyinodjíždí   *od·yîj·dyîautobus/*
vlak?   *ao·to·bous/vlak*

Ce taxi est libre ?
Je tento taxík   *yé ten·to*
tak·sîkvolný?   *vol·nî yé*

Urgences

À l'aide !
Pomoc!   *po·mots*

Appelez... !
Zavolejte   *za·vo·ley·té*
un médecin
lékaře!   *lê·ka·rjé*
la police
policii!   *po·li·tsi·yi*

Je suis perdu(e). (m/f)
Zabloudil/   *za·bloou·dyil/*
Zabloudila   *za·bloou·dyila*
jsem.   *ysem*

Je suis malade. (m/f)
Jsem nemocný/   *ysem né·mots·nî/*
nemocná.   *né·mots·na*

Où sont les toilettes ?
Kde jsou toalety?   *gdé isoou toua·le·ti*

En coulisses

Vos réactions ?

Vos commentaires nous sont très précieux pour améliorer nos guides. Notre équipe lit vos lettres avec la plus grande attention et prend en compte vos remarques pour les prochaines mises à jour. Pour nous faire part de vos réactions, prendre connaissance de notre catalogue et vous abonner à notre newsletter, consultez notre site Internet : **www.lonelyplanet.fr**

Nous reprenons parfois des extraits de notre courrier pour les publier dans nos guides ou sites Web. Si vous ne souhaitez pas que vos commentaires soient repris ou que votre nom apparaisse, merci de nous le préciser. Notre politique en matière de confidentialité est disponible sur notre site Internet.

Un mot des auteurs

Marc Di Duca

Un grand merci à mon coauteur Mark Baker pour tous ses conseils, et à Paddy Tucker de Vinohrady, Ondra Krátký et mon épouse Tanya pour son immense soutien.

Mark Baker

Je voudrais remercier mes éditeurs, mes coauteurs, et dans mon pays d'adoption, la République tchèque, Kateřina Pavlitová de prague.eu, Zuzi et Jan Valenta de tasteofprague.com et Magdaléna Soukupová à Plze.

Barbara Woolsey

Un grand merci à tous ceux qui m'ont aidée : Clair Woolsey, Remy Woolsey, René Frank, Tiggy, Marlene Dow et sa famille, Ardelle et George Kuchinka, Jean Cepe, Rose Caluza, Garth et Gloria Pickard, Richard Marcotte, Nolan Janssen, Ila Wenaus et Jackie Tri.

Crédits photographiques

Photographie de couverture : Monastère de Strahov, Hradčany, Luigi Vaccarella/4Corners Images ©

À propos de cet ouvrage

Cette 6ᵉ édition française est la traduction-adaptation de la 6ᵉ édition du *Pocket Prague* rédigée par Marc Di Duca, Mark Baker et Barbara Woolsey. La précédente édition fut rédigée par Marc Di Duca, Mark Baker et Neil Wilson.

Traduction
Jeanne Robert

Directeur éditorial
Didier Férat

Responsable éditorial
Dominique Bovet

Responsable prépresse
Jean-Noël Doan

Coordination éditoriale
Muriel Chalandre-Yanes Blanch

Maquette
Marie Dautet

Cartographie
Nicolas Chauveau

Couverture Laure Wilmot

Merci à Olympe Richez pour sa préparation du manuscrit et à Jacqueline Menanteau pour sa relecture attentive du guide.

Index

Voir aussi les index des rubriques :

⊗ **Se restaurer p. 158**

♟ **Prendre un verre p. 159**

☆ **Sortir p. 159**

🔒 **Shopping p. 159**

A

absinthe 133

Abri antiatomique de l'Hotel Jalta 103

aéroport 25, 147

ambassades 149

Ancien bâtiment de Radio Free Europe 99

Ancien Palais royal 33

architecture 20

argent 24, 149

art 16

B

Basilique Saint-Georges 34

Basilique Saints-Pierre et Paul 121

Bibliothèque de Strahov 43

Bibliothèque Václav Havel 113

bière 12

Brahe, Tycho 86

Brod, Max 92

bus 148

Référence des **sites**
Référence des **plans**

C

cafés 13, 117

cartes de réduction 149

Cathédrale Saint-Guy 38

cave gothique 121

Centre DOX pour l'art contemporain 142

Černý, David 51, 61, 114, 128

Chapelle de Bethléem 87

Chapelle de l'Assomption-de-la-Vierge 89

Chapelle Saint-Venceslas 39

Charles IV 35

Château de Prague 32, 37

Château de Prague (quartier) 31, **42**

bars 45

restaurants 44

sites 32, 43

transports 31

Cimetière de Vyšehrad 121

circuits organisés 70

Clementinum 87

climat 146

Clocher de l'église Saint-Nicolas 53

Colline de Petřín 48

Colline de Petřín (quartier) 47, **52**

bars 58

promenade à pied 50, **50**

restaurants 56

shopping 59

sites 48, 53

sortir 58

transports 47

communauté juive de Prague 73

communisme 106

Couvent Sainte-Agnès 70

E

électricité 150

enfants 18

Église de la Nativité de Notre-Seigneur 41

Église du Sacré-Cœur 129

Église Notre-Dame-de-l'Assomption 43

Église Notre-Dame-de-Týn 79

Église Notre-Dame-des-Neiges 104

Église Saint-Clément 89

Église Saint-Jacques 89

Église Saint-Nicolas (Malá Strana) 53

Église Saint-Nicolas (place de la Vieille Ville) 79

Église Saint-Sauveur 87

F

Festival du Printemps de Prague 71

forfaits transports 149

formalités 24, 150

Funiculaire de Petřín 49

Futura Gallery 61

G

Gans, David 73

Gare centrale de Prague 113, 147

Gare routière de Florenc 148

golem 69

Grand Hotel Evropa 99

H

handicapés 150

Hašek, Jaroslav 92

Havel, Václav 106

hébergement 146

heure locale 24
heures d'ouverture 151
histoire 21
Holešovice 134, **138**
  bars 141
  restaurants 140
  sites 136, 139
  sortir 143
  transports 135
homosexualité 151
Horloge astronomique 78, 88
Hrabal, Bohumil 92
Hradčany 30, **42**
  bars 45
  restaurants 44
  sites 32, 43
  transports 31
Hůlová, Petra 92
Hus, Jan 35

I

Île Kampa 51
Immeuble Melantrich 101
Internet (sites) 24

J

Jardin Vojan 51
Jardin Vrtbov 51
Jardin Wallenstein 51
Jardins de Letná 139
Jardins de Malá Strana 50
Jardins palatiaux sous le château de Prague 52
Jardins royaux 36
Josefov 62, **68**
  bars 74
  restaurants 72
  shopping 75
  sites 64, 69

sortir 75
  transports 63
Joseph II de Habsbourg 73
jours fériés 151

K

K (sculpture) 114
Kafka, Franz 56, 82, 92
  promenade à pied 82, **82**
Kampa 51
Kisch, Egon Erwin 92
Kundera, Milan 92

L

Labyrinthe des Glaces 49
langue 23, 153
littérature 92
Loreta (Notre-Dame-de-Lorette) 40

M

Maisel, Mordechaï 67, 73
Maison municipale 85
Malá Strana 46, **52**
  bars 58
  promenade à pied 50, **50**
  restaurants 56
  shopping 59
  sites 48, 53
  sortir 58
  transports 47
Mémorial à Jan Palach 99
Mémorial aux étudiants 101
Mémorial aux victimes du communisme 49

Mémorial national 128
Mémorial national aux victimes de la répression sous Heydrich 114
métro 148
Monastère de Strahov 43
monnaie 24
Monolithe de Plečnik 33
Monument à Franz Kafka 71
Mucha, Alfons 104
Mur John Lennon 51
Musée d'Histoire du château de Prague 34
Musée de l'Enfant-Jésus 53
Musée de la ville de Prague 113
Musée des Arts décoratifs 69
Musée des Miniatures 43
Musée du Communisme 103
Musée du pont Charles 81
Musée ethnographique 54
Musée Dvořák 119
Musée Franz Kafka 55
Musée juif de Prague 64
Musée juif de Prague (quartier) 62, **68**
  bars 74
  restaurants 72
  shopping 75
  sites 64, 69
  sortir 75

transports 63
Musée Kampa 53
Musée Mucha 103
Musée national 103
Musée technique national 139
musées 17

N

Národopisné Muzeum 54
Nerudova (rue) 54
Nouveau cimetière juif 129
Nové Město 110, **112**
  bars 116
  restaurants 115
  shopping 119
  sites 113
  sortir 118
  transports 111
Nový Svět 44
numéros d'urgences 152

O

offices du tourisme 151

P

Palais Adria 101
Palais Lobkowicz 36
Palais Rosenberg 35
Palais Šternberg 43
Palais Veletržní 136
Parc des expositions Výstaviště 139
Parc Stromovka 140
Passage Lucerna 104
Place Charles 113
Place de la Vieille Ville 78
Place de la Vieille Ville (quartier) 75, **84**

bars 91, 93
promenade à pied 82, **82**
restaurants 90
shopping 94
sites 78, 85
sortir 94
transports 77
Place Venceslas 98
Place Venceslas (quartier) 97, **102**
bars 107
promenade à pied 100, **100**
restaurants 104
shopping 108, 109
sites 98, 103
sortir 108
transports 97
Pont Charles 80
Porte Dorée 39
Porte Poudrière 86
pourboire 24
Proudy 51

Q

Quo Vadis 55

R

Radio Free Europe 99, 101
révolution de Velours 100, **100**
Riegrovy sady 129
Rilke, Rainer Maria 92
Rodolphe II 73
Rotonde Saint-Martin 121
Rudolfinum 71
Ruelle d'Or 34

Référence des **sites**
Référence des **plans**

S

Santa Casa 41
sécurité 151
Seifert, Jaroslav 92
sites gratuits 19
Smíchov 60, **60**
Statue de saint Venceslas 99
Staré Město 77, **84**
bars 91, 93
promenade à pied 82, **82**
restaurants 90
shopping 94
sites 78, 85
sortir 94
transports 77
Synagogue espagnole 65
Synagogue Klaus 65
Synagogue Maisel 65
Synagogue Pinkas 65
Synagogue Vieille-Nouvelle 69

T

taxi 149
télephone 24, 152
Théâtre Činoherní Klub 101
toilettes 152
Tombeau de saint Jean Népomucène 39
Tombe de David Gans 67
Tombe de Joseph Solomon Delmedigo 67
Tombe de Mordechaï Maisel 67
Tombe du rabbin Loew 67
Topol, Jáchym 92
Tour d'observation de Petřín 49

Tour de la télévision 129
Tour du pont de la Vieille Ville 81
Tour panoramique de Petřín 49
train 147
trams 148
transports 25, 147

U

urgences 152

V

végétariens 10, 91
Venceslas Ier (duc de Bohême et saint patron de la République tchèque) 34, 39, 45
Vieux Cimetière juif 66
Vinohrady 122, **126**
bars 132, 133
promenade à pied 124, **124**
restaurants 130
sites 128
transports 123
visas 24, 150
Vyšehrad 120, 120

W

promenades à pied
Malá Strana 50, **50**
quartier de la place de la Vieille Ville 82, **82**
quartier de la place Venceslas 100, **100**
Smíchov 60, **60**
Vyšehrad 120, **120**
Žižkov 124, **124**
Werfel, Franz 92

Z

Žižkov 122, **126**
bars 132, 133
promenade à pied 124, **124**
restaurants 130
sites 128
transports 123
zoo de Prague 139

⊗ Se restaurer

A

Art Restaurant Mánes 116
Augustine 56

B

Benjamin 130

C

Café Imperial 116
Café Savoy 56
Country Life 91
Cukrárna Myšák 105
Cukrkávalimonáda 57

D

Dhaba Beas 105

F

Field 72

G

Globe Bookstore & Café 115

H

Havelská Koruna 91
Hergetova Cihelna 58
Hostinec U Tunelu 130

I

Ichnusa Botega Bistro 56

K

Kavárna Lucerna 99
Klub Cestovatelů 115
Kofein 131

L

Lehká Hlava 90
Lobkowicz Palace Café 44
Lokál 72

M

Maitrea 91
Malý Buddha 44
Mistral Café 72

N

Nebozízek 49

P

Pastička 132
Phill's Corner 140
Pivovar Marina 140

S

Salt'n'Pepa Kitchen 140

T

Tavern, the 131
The Eatery 140
Tràng An Restaurace 141

U

U Dvou koček 90
U Houbaře 137
U Modré Kachničky 57
U Prince 85

V

V Kolkovně 72
V Zátiší 90
Vegan's Prague 58
Villa Richter 44
Vinohradský Parlament 130
Výtopna 105

Z

Zlatý Klas 61

🍷 Prendre un verre

B

Bar & Books Mánesova 125
Bokovka 74
Bukowski's 125

C

Café Citadela 121
Café Kaaba 132
Café Kampus 93
Café Louvre 116, 117
Cobra 142

F

Fraktal 142

G

Grand Café Orient 93

H

Hemingway Bar 93
Hoffa 107
Hospoda U Buldoka 61
Hostinec U Černého vola 45

K

Kavárna Liberál 143

Kavárna Obecní Dům 93
Kavárna Slavia 116, 117
Kavárna Velryba 118
Klášterní Pivovar Strahov 45
Klub Újezd 58
Kozička 74

L

Le Caveau 125
Letná Beer Garden 141

N

Na Verandách 61

P

Pivovarský Dům 117
Planeta Žižkov 132
Prague Beer Museum 125

T

Tretter's New York Bar 74

U

U Fleků 117
U Hrocha 58
U Kurelů 132
U Rudolfina 67
U Sadu 125
U Slovanské Lípy 132
U Trí Růží 93
U Zlatého Tygra 91

V

Vinograf 107
Vnitroblock 142

☆ Sortir

AghaRTA Jazz Centrum 94

Cross Club 143
Jatka 78 143
Jazz Dock 61
Jazz Republic 94
Kino Světozor 108
La Fabrika 143
Laterna Magika 118
Lucerna Music Bar 108
Malostranská Beseda 58
MeetFactory 61
Opéra d'État de Prague 108
Palác Akropolis 133
Reduta Jazz Club 118
Roxy 75
Salle Dvořák 75
Salle Smetana 94
Švandovo Divadlo Na Smíchově 61
Techtle Mechtle 133
Termix 133
Théâtre des États 94
Théâtre Image 118
Théâtre national 118
U Malého Glena 59
Wonderful Dvořák 119

🛍 Shopping

Artěl 59
Bata 109
Botanicus 95
Bric A Brac 95
Gurmet Pasáž Dlouhá 75
Kavka 94
Klára Nademlýnská 75
Manufaktura 95
Marché de producteurs de Náplavka 119
Marionety Truhlář 59
Modernista 95
Moser 109
Shakespeare & Sons 59

Les auteurs

Marc Di Duca
Auteur de voyage depuis une décennie, Marc a travaillé sur de nombreux guides pour Lonely Planet, notamment la Sibérie et le transsibérien, la Slovaquie, la Bavière, l'Ukraine et la Croatie, et a rédigé. Quand il n'est pas sur la route, Marc vit près de Mariánské Lázně en République tchèque, avec son épouse et ses deux fils.

Mark Baker
Rédacteur free-lance, Mark a un penchant pour les histoires atypiques et les lieux insolites. Américain d'origine, installé dans la capitale tchèque, il écrit principalement sur l'Europe centrale et l'Europe de l'Est pour Lonely Planet et d'autres grands éditeurs de voyage.

Barbara Woolsey
Barbara est née et a grandi dans les prairies canadiennes, avec sa mère philippine et son père irlando-écossais. Elle a exploré près de 50 pays. Barbara écrit pour Lonely Planet mais aussi pour des journaux, magazines et sites Internet du monde entier. Elle passe la majeure partie de son temps à Berlin, sa ville d'adoption.

Prague en quelques jours
6ᵉ édition
Traduit et adapté de l'ouvrage *Pocket Prague, 6th edition, February 2022*

© Lonely Planet Global Limited 2022
© Lonely Planet et Édi8 2022
92 avenue de France - 75013 Paris

© Photographes comme indiqué 2022

Dépôt légal Février 2022
ISBN 978-2-81619-279-7

Imprimé par L.E.G.O. Spa (Legatoria Editoriale Giovanni Olivotto), Italie

Bien que les auteurs et Lonely Planet aient préparé ce guide avec tout le soin nécessaire, nous ne pouvons garantir l'exhaustivité ni l'exactitude du contenu. Lonely Planet ne pourra être tenu responsable des dommages que pourraient subir les personnes utilisant cet ouvrage.

En Voyage Éditions | un département édi8

Tous droits de traduction ou d'adaptation, même partiels, réservés pour tous pays. Aucune partie de ce livre ne peut être copiée, enregistrée dans un système de recherches documentaires ou de base de données, transmise sous quelque forme que ce soit, par des moyens audiovisuels, électroniques ou mécaniques, achetée, louée ou prêtée sans l'autorisation écrite de l'éditeur, à l'exception de brefs extraits utilisés dans le cadre d'une étude.
Lonely Planet et le logo de Lonely Planet sont des marques déposées de Lonely Planet Global Limited.
Lonely Planet n'a cédé aucun droit d'utilisation commerciale de son nom ou de son logo à quiconque, ni hôtel ni restaurant ni boutique ni agence de voyages. En cas d'utilisation frauduleuse, merci de nous en informer : www.lonelyplanet.fr